Mille feuilles à l'encre et à la crème

500

Lettres et Suggestions pour les événements malheureux

Danie a eu l'idée de ce beau projet au mois d'août 1997. Elle cherchait une personne talentueuse et passionnée pour l'assister. Elle a alors demandé à Célyn de rédiger les lettres, tout en y ajoutant son encadrement et ses connaissances cliniques.

Ces deux auteures sont heureuses de vous présenter aujourd'hui leur nouveau-né. Tous ces mots qu'elles ont mariés n'attendent que vous pour aller rejoindre ceux que vous aimez. Puissiez-vous les utiliser - abusivement - pour sceller des relations plus solides et embellir votre quotidien ainsi que celui des autres.

Remarque

Toutes les lettres que vous trouverez dans ce livre ne sont que des modèles. Chacun de vous possède sa propre façon de s'exprimer, sa rhétorique et son bagage de vocabulaire. Nous vous invitons donc à ne pas hésiter pour changer les mots ou les expressions qui ne vous satisfont pas. Vous pouvez personnaliser chacune de ces lettres en les modifiant à votre guise ou en puisant des idées dans différentes pages afin de les assembler et composer votre propre courrier. Par ailleurs, comme la plupart ont été écrites en utilisant le vouvoiement, nous vous suggérons de les relire en adoptant le tutoiement, ce qui leur donnera un tout autre cachet. Retenez qu'il n'y a pas de règles pour faire plaisir lorsque cette intention vient du coeur.

Mille feuilles à l'encre et à la crème

500

Lettres et Suggestions pour les événements malheureux

Danie Beaulieu, Ph.D.
Docteure en psychologie

Célyn Bonnet
Écrivaine

ACADÉMIE
IMPACT™

Données de catalogage avant publication (Canada)

Beaulieu, Danie, 1961 •

Mille feuilles à l'encre et à la crème

Comprend des index.
Sommaire: 500 lettres et suggestions pour les événements malheureux •

ISBN 2-9805292-2-2

1. Modèles de lettres. 2. Cartes des voeux. I. Bonnet, Céline, 1968 •
II. Titre.

PC2497.B42 1998 808.86'9355 C98-940555-9

Conception infographique et page couverture:

Claude Fraser

C.P. 1038, Lac Beauport, Québec
Canada G0A 2C0
Téléphone: (418)841-3790
Télécopieur: (418) 841-4491
e-mail: impact@quebectel.com

Dépôt légal - 2ème trimestre 1998
Bibliothèque nationale du Canada
Bibliothèque nationale du Québec

Prologue

Qui n'a pas rêvé un jour ou l'autre de découvrir un trésor ou de faire fortune? Certains multiplient les billets à la loterie pendant que d'autres creusent dans le fond de leur jardin, persuadés de découvrir une mine d'or. Vous êtes de ceux-là? Alors cessez de dépenser votre argent et de collectionner les courbatures! Vous possédez déjà cette richesse tant convoitée. Elle se cache tout près de vous, dans les personnes de votre entourage.

Des recherches scientifiques ont en effet démontré que le soutien social pouvait affecter toutes les sphères de notre vie: augmenter l'estime de soi (Cook, Barber, 1997), la qualité des relations de couple et la cohésion familiale (Smith, Brown, 1997; Farrell, Barnes, 1995), l'optimisme ainsi que le bien-être physique et mentale (Sumi, 1997). Il peut réduire l'anxiété (Langford, Bowsher, 1997), le stress et le burnout (Vanier, Fortin, 1996), la dépression (Newsom, Schulz, 1996; Lara, Leader, Klein, 1997), la mortalité chez les grands malades (Penninx, van Tilburg, 1997) ainsi que le coût des soins de santé (1,156 $ de moins chez les individus qui savent s'entourer.) (Cronan, Groessl, 1997). Et ce ne sont là que quelques-uns des nombreux avantages que nous confèrent nos contacts avec les autres.

En fait, toutes ces études ne font que confirmer ce que nous savions déjà intuitivement: un réseau chaleureux améliore notre qualité de vie, ajoute des ressources pour faire face à nos difficultés et embellit notre image personnelle. Nourrir nos relations interpersonnelles s'avère donc un investissement des plus rentables. Chacune des lettres que vous trouverez dans ce volume représente une opportunité de vous rapprocher d'un être cher. Lisez-les, et vous découvrirez mille et une façon d'embellir votre vie et celle des autres.

Cook, DL, Barber, KR. Journal of Cultural Diversity, 4(1):32-8, 1997.

Cronan, TA, Groessl, E. Arthritis Care & Research, 10(2):99-110, 1997.

Farrell, MP, Barnes, GM. Journal of Health & Social Behavior, 36(4):377-85, 1995.

Langford, CP, Bowsher, J. Journal of Advanced Nursing, 25(1):95-100, 1997.

Lara, ME, Leader, J, Klein, DN. Journal of Abnormal Psychology, 106(3):478-82, 1997.

Newsom, JT, Schulz, R. Psychology & Aging, 11(1):34-44, 1996.

Penninx, BW, van Tilburg, T. American Journal of Epidemiology, 146(6):510-9, 1997.

Smith, RB, Brown, RA. Journal of Homosexuality, 33(2):39-61, 1997.

Sumi, K. Psychological Reports, 81(1):299-306, 1997.

Vanier, C., Fortin, D. Santé Mentale au Québec, 21(2):200-23, 1996.

Pour une personne qui vit de l'angoisse dans l'attente d'un résultat

Est-ce que j'arrive pour le café ou pour l'apéritif? Oh, vous êtes en grand ménage. Alors lâchez tous vos instruments de torture contre la poussière et venez vous asseoir avec moi. Nous serons plus à l'aise pour discuter.

Je me sens toujours frustré(e) lorsque je constate mon impuissance dans certaines situations qui me concernent ou qui affectent des personnes que j'apprécie. J'aurais voulu pouvoir sonner à votre porte et vous surprendre en vous offrant une solution miracle qui vous aurait soulagé(e) et qui aurait éloigné de vous toutes vos inquiétudes. En vain. Par contre, si vous me donnez la main nous pourrions aller ensemble respirer le grand air. Inspirez, expirez. Balayez ces angoisses qui vous mettent mille questions en tête sans vous accorder l'ombre d'une réponse. Détendez-vous. Facile à dire? Oui. Mais c'est le meilleur service que vous puissiez vous rendre. Imaginez que des milliers d'étincelles lumineuses viennent à vous et que cette apaisante chaleur fasse fondre toutes les boules noires qui cognent dans votre tête.

Merci pour cette délicieuse pause passée en votre compagnie. Les étincelles lumineuses ont déjà commencé leur travail, alors je les laisse s'occuper de vous.

- Offrez-lui un bon livre positif ou humoristique pour l'aider à chasser ses 'boules noires'. Consultez notre liste en annexe.

- Adressez-lui un de ces petits prismes ou petites pierres qui reflètent la lumière avec cette note: "Placez-le/la dans un endroit ensoleillé pour qu'elle/il puisse vous offrir tous ses faisceaux lumineux. Qu'ils s'incrustent jusque dans vos pensées!"

- Envoyez-lui des biscuits fins, du thé au jasmin ou du café parfumé et écrivez cette remarque: "Pensez à prendre des pauses gâteaux, thé ou café *(selon de ce que vous aurez choisi)*".

Pour une personne malade

Je reviens de mon grenier où je fouillais çà et là pour me changer les idées. Quelle surprise de voir tous les trésors que je détiens! J'avoue qu'ils sont très empoussiérés par ma faute. Aussi ai-je décidé de faire un grand ménage afin de leur refaire une beauté et de mettre en évidence tous leurs immenses charmes. J'ai presque honte d'avoir entassé toutes ces affaires pêle-mêle avec autant de négligence. Mais il est toujours possible de me rattraper. J'ai d'ailleurs rapidement trouvé une fonction à chaque objet que je découvrais. Incroyable comme nous pouvons faire des miracles avec peu. L'homme est un grand magicien à son insu.

Je constate que vous aussi possédez un immense grenier. Il serait encore plus lumineux si vous leviez les stores qui empêchent la lumière d'entrer. Vous n'avez pas nettoyé les vitres? Détail sans importance, je ne ferai aucun commentaire! Je suis certain(e) que toutes vos richesses empilées vous tendent les bras pour sortir de leurs toiles d'araignées. J'en distingue plusieurs, notamment le courage, la volonté, l'humour et la passion. Tenez, je vous prête généreusement mon balai et mon chiffon. À vous de faire le reste. Sachez que vous pouvez m'appeler si vous avez besoin d'aide.

- Offrez-lui un chiffon, un produit de nettoyage quelconque, une balayette avec la note suivante: "Ne laissez pas tous ces trésors dormir dans votre grenier. Ils vous appartiennent. Vous les avez gagnés. Dépêchez-vous de les ressortir. Ils vous attendent".

- Joignez une lampe de poche à cet envoi en précisant: "Pour vous aider à trouver les trésors de votre grenier".

- Adressez-lui un petit carton qu'elle/il pourra toujours conserver à portée de main et sur lequel vous aurez inscrit votre numéro de téléphone et cette remarque: "Disponible 7 jours sur 7. Confidentialité assurée".

Pour une personne malade

Les problèmes de santé sont un peu comme les trajets dans les airs. Les turbulences, qui sont plus ou moins importantes selon les vols, suscitent bien des réactions parmi les passagers. Certains se questionnent sur la compétence de l'équipe de pilotage. Devraient-ils lui faire confiance? Difficile d'agir autrement une fois qu'ils sont dans les airs. D'autres se reprochent d'avoir embarqué. Si seulement ils avaient pu éviter ce moyen de transport! Ils seraient restés à terre, en sécurité. D'autres encore doutent de leur capacité à traverser cette étape. Il y a également ceux qui craignent de s'écraser. Ils alimentent généreusement cette peur en inventant de multiples histoires, toutes plus effroyables les unes que les autres. Ce sont très certainement là les plus malheureux. Toutes ces réflexions personnelles sont infructueuses. Les regrets ne servent à rien.

Puis se distinguent tout de même ceux qui s'installent confortablement dans leur fauteuil et qui somnolent ou qui profitent de ce trajet pour lire, écrire ou pour se relaxer. Bref, ils font confiance. Ils ont compris qu'il est préférable de voyager avec des pensées positives afin de passer un agréable moment et qui de plus, peut devenir très productif pour peu qu'ils trouvent enfin le temps de ne rien faire!

Je vous souhaite un bon vol. Profitez de cette étape en vous rappelant que le temps n'est jamais perdu. Puissiez-vous vous rendre à bon port le plus agréablement possible.

- Offrez-lui un modèle d'avion miniature.

- Pour ceux qui sont pratiquants, donnez-leur un symbole religieux *(une médaille, une croix ou une photographie)* et écrivez: "Avec un pilote comme celui que vous avez, vous n'avez plus besoin de vous inquiéter".

- Achetez-lui un livre de mots fléchés ou croisés ou un livre divertissant. Ajoutez cette remarque: "Rien de tel que ce passe-temps pour oublier la turbulence".

Je me permets de m'installer à vos côtés pour vous tenir compagnie et pour grignoter un peu de votre journée. M'autorisez-vous à savourer avec vous un souvenir enchanteur? Le temps de quelques mots, l'espace de quelques lignes.

Je viens juste de finir de trier mes photographies. L'une d'elles m'a rappelé les beautés de l'hiver. Je l'avais 'capturée' après le passage d'une grosse tempête de neige. Le paysage était féerique. Le décor avait un agréable goût des fêtes de fin d'année. Noël et son euphorie. La beauté de Dame Nature était incontestable. Il n'empêche que je pestais un peu contre elle à cause des amas de neige qu'il fallait déblayer et des courbatures qui me narguaient en catimini. Cela n'a fait que me rappeler que nous devons accepter les intempéries, le courant des saisons et leurs variations impromptues.

Vous aussi subissez une perturbation. Vous vous sentez probablement isolé(e) face à cette épreuve. Votre courage et votre volonté dans cette lutte sont fabuleux. Richard Bach disait que "ailleurs n'est jamais loin quand on aime". Alors dans vos moments de solitude et de tourmente, pensez très fort à moi et vous me sentirez à vos côtés. La visualisation est un outil très bénéfique et positif.

Une grande paix m'envahit tandis que je vous parle. Je vous dédie cette sérénité magique. Puisse-t-elle vous apporter un peu de douceur et de réconfort, beaucoup de tendresse et de lumière.

- Offrez-lui une décoration de Noël et ajoutez cette note: "Pour que vous aussi sachiez reconnaître les beautés et la magie de votre hiver".

- Joignez à ce courrier un foulard pour l'hiver et inscrivez ceci: "Pour que la chaleur du coeur se prolonge jusqu'à vous".

- Faites-vous prendre en photographie dans un photomaton. Prenez une pause très drôle. Vous pouvez faire une grimace, fermer les yeux... Envoyez-lui un exemplaire et écrivez ce commentaire: "L'idée est de vous faire rire et de vous rappeler que je suis avec vous en pensées!"

Pour une personne malade

J'aurais voulu trouver un grand champ de blé pour y cueillir de beaux épis dorés. Je vous les aurais envoyés pour qu'ils égayent votre chambre. Je sais, il est plus courant d'offrir des fleurs. Mais briser une habitude n'est pas un délit. Cette plante qui évoque la vie, la joie et le partage dégage beaucoup de noblesse. Elle semble nous parler du vent qui s'est pris cent fois dans sa chevelure et du soleil qui lui a donné ce beau teint. Elle conserve en elle une affection particulière pour la terre qui l'a vue naître et grandir. Son odeur n'est pas aussi fleurie que les roses ou les oeillets mais elle exhale le grand air et la liberté.

Tant pis pour mon intention particulière et faute de vous en avoir trouvés, je vous adresse ces modestes mots pour qu'ils vous tiennent compagnie durant cette lecture.

Mes phrases n'ont pas le parfum sacré de la campagne mais elles sont empreintes de cordialité. Que le chant de la nature parvienne jusqu'à vous pour vous redonner des forces et des couleurs.

Meilleure santé!

- Adressez-lui un bouquet de fleurs séchées avec quelques tiges de blé. Inscrivez cette note: "J'ai finalement déniché quelques tiges. Leur présence à vos côtés vous rappellera à quel point la nature est belle".

- Offrez-lui un pot de crème de jour à base de blé ou de germes de blé. Vous trouverez ce produit cosmétique dans les magasins d'aliments naturels. Ajoutez cette phrase: "Il paraît que le blé est riche en acides gras essentiels. J'ajouterais également qu'il sent bon la vie car il possède la force de la nature".

- Envoyez-lui un peu de terre, des brindilles ou des feuilles et écrivez cette remarque: "Un peu de campagne à domicile".

Pour une personne dont un(e) proche est malade

Enfants, nous faisons des projets qui ressemblent à un ciel bleu que rien n'oserait perturber. Puis, sans nous demander notre autorisation, les années amènent leurs paquets de nuages, plus ou moins chargés. C'est ainsi que nous apprenons à développer des habiletés pour retrouver plus facilement notre chemin. Si celles que nous nous découvrons nous aident à faire face à des obstacles, elles sont également très bénéfiques à toutes les personnes qui nous côtoient. Nous représentons un peu un phare créé pour éclairer ceux qui se sont perdus. Nous ne devons cependant pas nous investir au point de nous oublier, sinon notre lumière perdrait de son intensité et se voilerait à son insu.

Vous êtes une personne extrêmement généreuse. Vous cherchez toujours à conférer du bien-être à ceux qui vous entourent. Pourtant, de grâce, prenez soin de vous, vous le méritez tellement. Pensez à vous, reposez-vous un peu plus et multipliez les occasions de divertissements. Que diriez-vous d'une bonne promenade dans un parc ou dans un jardin public, d'un repas au restaurant, d'une visite dans un musée, d'une soirée au cinéma ou autre? Je ne vous apprends rien en vous rappelant qu'il est indispensable que vous vous gâtiez si vous désirez conserver votre équilibre. Vous n'en serez que plus efficace pour aider et ressourcer les autres.

Que vos secondes soient sereines et qu'elles vous procurent paix et tranquillité.

- Joignez-lui un billet pour une place de cinéma avec cette note: "Il suffit parfois de peu de choses pour trouver du plaisir. Mais il ne faut jamais le laisser passer sans le saisir".

- Envoyez-lui des piles accompagnées de ces mots: "Ne les faites pas trop travailler, sinon elles se déchargeront".

- Prenez plusieurs papiers *(dix par exemple)* sur lesquels vous aurez écrit différentes pensées qui se rapportent au repos: "Repos", "Prenez un peu de répit", "Prenez soin de vous", "Un peu de repos vous fera du bien", "Pensez un peu à vous, c'est essentiel", "Rechargez vite vos batteries, vous en avez besoin"... Mettez chacun d'eux dans des enveloppes distinctes appelées: "La pensée du jour". Vous aurez donc en tout dix enveloppes.

Je me suis arrêté(e) par hasard dans une animalerie. J'y ai passé un joyeux moment. Il y avait des chiots qui étaient couchés les uns contre les autres. À mon avis, ils étaient frères et soeurs. Ils dormaient sans se préoccuper des gens qui passaient devant eux et de leurs exclamations. En les admirant, je me disais que cela devait être dur pour des jeunes comme eux de se retrouver dans un endroit inconnu, sans leur maman. Ils avaient peut-être envie d'un peu de réconfort pour sentir qu'ils n'étaient pas seuls et que tout allait bien. Si j'avais pu, je me serais bien mis(e) à aboyer pour leur dire des mots doux!

En sortant du magasin, je me suis senti(e) très proche de toi qui est séparé(e) de ton environnement familier et de ta famille pour le moment. Cette période passera rapidement et tu retrouveras très bientôt tout ton univers habituel.

Je te fais mille bises coquines pour qu'elles te fassent des petites farces et qu'elles prennent soin de toi.

À bientôt petit amour!

- Adressez-lui un chiot en photographie, carte postale ou en peluche et ajoutez ceci: "Il était seul lui aussi. Vous pourrez ainsi vous tenir compagnie".

- Offrez-lui quelque chose que vous avez chez vous et qui lui est familier. Inscrivez cette note: "Pour te rappeler que je pense très souvent à toi et que malgré cet éloignement, nous demeurons tous les deux liés par la pensée".

- Envoyez-lui une revue sur un sujet qui le passionne, une bande dessinée ou un livre pour la jeunesse et écrivez cette remarque: "Le temps passera plus rapidement grâce à cette lecture".

Toc-toc. Puis-je entrer? Je marcherai sur la pointe des pieds pour éviter de vous déranger. Le bruit est très désagréable pour quelqu'un qui essaie de se reposer et de reprendre des forces. Je passais non loin d'ici et j'ai imaginé qu'une petite visite vous ferait plaisir. Le temps vous apparaît peut-être long par moments, surtout loin de chez vous et de votre entourage habituel. Mais prenez cette période comme une étape bénéfique pour vous refaire une bonne santé.

Savez-vous que nous sommes nombreux à penser à vous? Nous unissons tous, continuellement, nos pensées et nos forces pour qu'elles forment un gigantesque soleil autour de vous. Nous voulons surtout qu'il brille de tous ses rayons pour vous encourager et vous tenir compagnie lorsque vous vous sentez seul(e).

Je repars déjà car mes occupations m'appellent. Je vous embrasse très affectueusement et je vous laisse le velours de mon coeur pour que vous ayez toujours de la douceur à portée de main.

- Achetez-lui quelque chose en velours et ajoutez cette note: “Pour vous aider à retrouver le velours de mon coeur dès que vous en aurez besoin”.

- Prenez une photographie de l'extérieur de son appartement, de sa maison ou de son quartier et inscrivez ceci: “Petit souvenir pour vous tenir compagnie”.

- Choisissez une feuille de couleur et demandez à des personnes qui connaissent également celle qui est hospitalisée de mettre un petit encouragement suivi de leur signature. Ajoutez évidemment la vôtre. Joignez le tout à cette lettre.

Pour une personne qui doit subir une opération

Je me sens parfois impuissant(e) devant les difficultés que les autres rencontrent. Je voudrais leur apporter une aide plus importante mais les exigences de mon quotidien m'en empêchent souvent. Je dois donc me résigner à demeurer physiquement passif(ive) en quelque sorte. Je dis physiquement car il existe une autre voie d'action, moins concrète mais si sincère et chaleureuse. Celle de la pensée.

C'est précisément ce chemin que j'emprunte aujourd'hui pour venir vous saluer. Je vous offre mon soutien moral de visiteur(euse). Vous serez plus particulièrement dans mon coeur le jour de votre opération. Sachez que je serai toujours présent(e) à vos côtés. J'ai essayé de parfumer chaque mot avec un peu de cannelle. Cet arôme a soi-disant des vertus apaisantes et réconfortantes. Je souhaite de tout coeur qu'il soit encore là lorsque vous lirez ces quelques lignes.

Bon courage et à bientôt!

- Trouvez une étoile ou dessinez-en une et joignez-la à cette lettre. Ajoutez cette note: "Il paraît que les étoiles sont de très grandes protectrices. Je vous adresse celle-ci pour vous soutenir".

- Achetez un pot miniature, décoré si possible, et remplissez-le de cannelle pour lui rappeler que vos pensées l'accompagnent.

- Cette personne a certainement chez elle un objet qu'elle affectionne particulièrement *(une tasse, un beurrier, un pot de fleurs, une paire de chaussons, un napperon ou autre)*. Renseignez-vous auprès de ses proches pour obtenir cette information. Offrez-lui en un similaire et écrivez ce commentaire: "C'est mauvais de se séparer de ce que nous aimons, même de simples choses".

Pour une personne dont la féminité est atteinte suite à une opération

La vitesse à laquelle tourne le carrousel des années est incroyable. Nous sortons à peine de notre poussette que nous nous trouvons propulsés dans le domaine de l'enfance puis dans celui de l'adolescence pour finir au milieu des adultes. Notre corps suit également ces métamorphoses. L'âge critique de la puberté est parfois cause de conflits intérieurs. Sous l'effet des hormones, la silhouette se transforme. Surtout chez les filles. Certaines éprouvent un malaise plus ou moins important vis-à-vis de ces formes qui s'installent sans leur demander la permission.

Après ces souffles orageux et déstabilisants, elles font connaissance avec leur nouvelle image physique et psychologique. La féminité se révèle alors peu à peu comme étant un vaste et extraordinaire univers pour la plupart des dames. Dans un premier temps, élément de la séduction, du charme et de l'amour, elle devient rapidement une amie intime et une partie de leur chair. C'est une attitude, une majestueuse histoire de femme qui se passe à l'intérieur, dans les tripes, dans les mouvements, dans les gestes et dans la pensée.

Cette épreuve qui vous assaille est inqualifiable et il est pénible de tourner la page sans retenir vos larmes. Vous perdez un peu de vous mais ceci n'enlève rien à vos talents innés, ni à votre féminité d'ailleurs. Elle est toujours en vous. Ne la devinez-vous pas comme une berceuse qui vous tient sans cesse compagnie? Vous êtes femme jusqu'au bout des doigts car vous êtes vous, sans détour. Puissiez-vous ne jamais l'oublier.

- Envoyez-lui quelque chose de très féminin. Un miroir de poche, un bijou *(il en existe pour tous les budgets)*, un foulard et ajoutez ceci: “Empreint de féminité, tout comme vous”.

- Adressez-lui un livre qui traite de ce sujet ou qui est davantage orienté vers un côté spirituel, selon les goûts de la personne. Écrivez ce commentaire: “Quelques pages de réconfort. Savourez-les tranquillement”. Consultez notre liste en annexe pour mieux orienter votre choix.

- Offrez-lui un panier de caramboles avec l'explication suivante: “Belles, savoureuses, ensoleillées et pleines de surprises tout comme la vie”.

Pour une personne atteinte du Sida

Certains mots ont des consonances qui ne correspondent pas exactement à ce que nous voudrions dire. L'expression verbale demeure encore un art dans lequel nous ne sommes souvent que des novices.

Cependant, il n'y a pas que les verbes et les noms qui donnent vie à la pensée. Le langage des fleurs est également très efficace. Les pétales à peine éveillés nous content l'amour pour que notre coeur ne soit jamais tari. Les nouvelles pousses soulèvent nos applaudissements. Les boutons nous invitent à imaginer des aubes nouvelles, sûrement chargées de fine gouttes de rosée. Toutes ces messagères ne demandent qu'à égayer des regards. Elles sont symboles universels lorsque nous ne savons plus comment exprimer notre profond attachement à une personne qui souffre.

Je les ai choisis aujourd'hui, rien que pour vous. Je ne parvenais pas à terminer mes phrases. Les lignes se courbaient et se déhanchaient. Alors j'ai décidé de vous adresser ces beautés que je possède pour qu'elles vous témoignent mon affection. Vous êtes une personne merveilleuse et attachante.

Que les bouquets que je vous envoie ne cessent de vous charmer par leur silence parfumé de vie. N'oubliez pas que je suis là si vous voulez me parler des fleurs de votre jardin.

♥ Trouvez des images de fleurs, à l'image de votre jardin intérieur, offrez-les lui et ajoutez ceci: "Voici une image pour tous les mots que je ne suis pas parvenu(e) à trouver".

♥ Adressez-lui un parfum fleuri accompagné de cette note: "Comme je ne pouvais pas vous faire parvenir tout mon jardin personnel, j'ai pensé vous le représenter par une fragrance. La voici. Puisse-t-elle vous rappeler toute mon affection".

♥ Il existe maintenant beaucoup d'écrits sur le SIDA rédigés par des malades ou des personnes de l'entourage. Votre libraire saura bien vous conseiller.

Pour une femme enceinte qui a des problèmes de santé

L'acceptation de situations non désirées ou inopportunes est parfois ardue. Nous n'avons pourtant pas beaucoup de choix. Ou nous décidons de les rejeter et de souffrir à cause de cette résistance manifestée ou nous les adoptons finalement en faisant confiance à Madame La Vie. Cette deuxième option est celle qui atténue la douleur morale et parfois physique, même si faire confiance se révèle être un chemin escarpé et difficile d'accès.

Je suppose que votre position actuelle n'est pas aisée en raison de vos efforts et activités que vous devez limiter. Se sentir faible et dépendante est pénible. Votre avenir ne se limite pourtant pas à cette période houleuse. Ces mois vous semblent longs mais les premiers balbutiements et les risettes de votre bébé vous les feront oublier. Imaginez le bonheur qui vous attend.

Vous êtes très vaillante et patiente. Ne vous inquiétez pas pour ce que vous ne pouvez pas faire actuellement. Sans vouloir endosser l'habit de l'infirmière, je vous rappelle que vous devez ménager vos forces et énergies et ne cultiver que des réflexions positives. La beauté doit s'entretenir par la beauté. C'est pourquoi je vous envoie les plus chauds rayons de soleil afin qu'ils réchauffent votre coeur.

Je joins à cette lettre du courage et de la sérénité en abondance. Que chaque nouvelle aube fasse naître un peu plus vos sourires de satisfaction et de bien-être.

- Envoyez-lui un miroir de poche et ajoutez cette note: "Puisque la beauté doit s'entretenir par la beauté, je vous encourage vivement à vous regarder le plus souvent possible dans ce miroir".

- Recopiez le mois entier qui suivra son accouchement *(si elle est supposée accoucher au mois de juin retranscrivez le mois de juillet)* et collez sur cette même feuille des images qui suggèrent la vie d'une nouvelle mère. Par exemple, un enfant qui rit ou qui dort, une mère qui allaite...

- Offrez-lui un jouet pour nouveau-né ou pour enfant et écrivez ce commentaire: "Commencez à vous entraîner avant que votre enfant n'arrive".

Pour un(e) anorexique-boulimique

La jeunesse est une fleur de la nature qui est sans âge et qui ne demande qu'à s'épanouir en toute liberté. Elle me fait penser aux rires, à l'amour, aux rêves et aux tourmentes parfois.

À propos de cette dernière, vous en traversez une de taille. Cette maladie qui vous affecte est pernicieuse et malsaine, mais pas impossible à vaincre ni à surmonter. Certes, elle est bien différente d'une grippe ou d'un bras cassé où il suffit de suivre à la lettre les prescriptions médicales afin de se rétablir. Dans votre cas, il vous faut parvenir à guérir d'une autre façon. Faites confiance aux personnes, spécialisées ou non, qui vous entourent et qui ne cherchent qu'à vous aider. Croyez en vous également. Ne sous-estimez surtout pas cette force et cette volonté qui vous animent et qui vous conduiront sur le chemin du rétablissement si vous acceptez de les attiser et de les laisser jaillir.

Je vous ai fait une place spéciale dans mon coeur car vous êtes une personne très attachante. Accrochez-vous à vos lendemains. Serrez les poings et gardez courage en tout et pour tout. Si par moments vous vous sentez las(se) et découragé(e), alors repensez à cette flamme qui se niche en vous: la flamme de la vie.

Je vous adresse mes meilleures pensées pour qu'elles vous égayent. Puissiez-vous rapidement découvrir un sol fertile pour faire pousser toutes vos semences de réussite et d'espoir.

- Envoyez-lui un outil utilisé pour le jardinage et écrivez ceci: "Cet instrument vous sera indispensable pour cultiver votre sol fertile".

- Adressez-lui un livre sur cette maladie. Il en existe de très bons. Consultez notre liste en annexe.

- Joignez à cet envoi un gadget ou bibelot qu'elle gardera facilement à portée de la main *(un crayon, un foulard, un porte-clés, une broche...)* et ajoutez ceci: "Je serai toujours avec vous, même éloigné(e)".

Pour une personne qui a perdu un sens

Nos différents sens sont de formidables canaux qui nous permettent d'entrer en contact avec tout ce qui nous entoure. Tous se complètent merveilleusement bien et nous aident à découvrir la vie, à la savourer, à nous remplir de toute sa beauté et de toute sa finesse. Il arrive que l'un de ces éléments-clés soit plus ou moins défectueux. Nous serions tentés d'imaginer que la perception globale de nos sensations en serait considérablement affectée. C'est une demi-vérité. Comme par un système d'équilibre naturel, les autres organes vitaux se renforcent davantage et leurs capacités augmentent afin de compenser les faiblesses apparues en cours de route ou parfois dès la naissance. Ils se peaufinent et se perfectionnent. Notre système de perception est un des plus raffinés et possède d'incroyables ressources pour nous faire découvrir de nouvelles dimensions.

Courageux(euse) comme vous êtes, je suis persuadé(e) que vous avez déjà commencé à travailler avec acharnement pour accentuer et amplifier les liens sensoriels que vous possédez. Il n'en demeure pas moins qu'une telle perte est un deuil. C'est pourquoi je partage avec vous cette nouvelle réalité en sachant que vous en sortirez grandi. Que votre soif de vivre soit votre locomotive pour vous conduire vers un épanouissement certain, grâce aux langage de votre âme et de votre coeur.

- Offrez-lui un présent qu'elle/il appréciera avec les sens qu'elle/il possède. Un livre qui vous tient à coeur *(pour ceux qui ont perdu l'audition ou l'odorat)*, une bonne cassette *(pour ceux qui ont perdu la vision ou le goût)*, de jolies fleurs fraîches... Inscrivez ce petit mot: "La beauté a plusieurs formes. À nous de la saisir pour qu'elle nous communique sa richesse".

- Dessinez ou collez l'illustration d'une flûte de pan sur une feuille et ajoutez-la à votre courrier. Écrivez ceci: "Chacun de nos sens possède autant de canaux raffinés que cette flûte de pan. À vous de leur donner vie".

- Trouvez une locomotive ou dessinez-en une et envoyez-la lui. Notez ceci: "Suivez la locomotive qui vous conduira vers votre épanouissement".

Nouvel handicap

Vous ai-je déjà raconté l'histoire du chiot que j'avais recueilli chez moi au début d'un hiver? Il était blessé lorsque je l'ai découvert. Je suppose qu'il avait dû être heurté par une voiture. Je n'aurais jamais pensé qu'il se serait tant accroché pour lutter et vivre. Une flamme extraordinaire brillait dans ses yeux verts. Je me suis efforcé(e) de lui dispenser les meilleurs soins. Il s'est tranquillement remis de ses blessures. Seule sa patte arrière droite est restée handicapée à vie. Il a dû réapprendre à marcher avec seulement trois membres. Il essayait encore et encore, tombait mais se relevait aussitôt. J'admirais sa grande volonté. Il désirait tellement y arriver qu'il a fini par se trouver des techniques d'appui. Par la suite, j'ai découvert en lui un ami fidèle, très joueur et affectueux.

À présent, vous devez vous aussi vous adapter à un handicap. Adaptation forcée dont vous vous seriez aisément passé(e). Mais il est là, présent et incontournable. Vous n'avez pas le droit d'abandonner la toile de votre histoire. Vous l'avez débutée avec ardeur et ferveur et vous ne pouvez que la continuer sur cette même lignée. Vous avez des responsabilités à assumer: répandre votre soif de la découverte pour que demain ne s'essouffle jamais. Oui, c'est dur. Mais vous y parviendrez par la seule force de votre foi. Chaque nouvelle heure est un pas de plus vers de nouveaux chemins remplis d'aventures.

♥ Offrez-lui un objet qui représente un pays étranger. Notez ceci: "J'ai trouvé cet objet en me promenant. Il vient de *(le nom du pays qu'il est censé représenter)*. Imaginez-vous tout le trajet qu'il a parcouru pour arriver jusqu'ici. Je vous le laisse pour qu'il vous parle de tous ses longs voyages et des plaisirs que nous accumulons en cheminant".

♥ Adressez-lui un livre qui traite de l'adaptation à un handicap. Consultez la liste que nous vous proposons en annexe.

♥ Envoyez-lui la carte de la dame de coeur s'il s'agit d'une femme et le roi de coeur pour un homme pour signifier ce qu'elle/il représente pour vous.

Nouvel handicap

J'ai appris la triste nouvelle concernant votre accident. Je tiens à vous exprimer mon soutien affectueux pour traverser cette étape. J'imagine qu'une foule de questions se bousculent dans votre tête. Comment réagir devant ce handicap? Que vais-je devenir? Pourrai-je encore jouir de l'existence?

La douleur de la perte d'un/de plusieurs membres est réelle et vous ne pouvez la passer sous silence. Mais l'erreur serait de vous arrêter à ce stade et de refuser de poursuivre l'ascension et la découverte de votre aventure personnelle. Oui, tout devient différent. Vous vous sentez peut-être même démuni(e), désemparé(e), voire même inutile. Mais est-ce que vos forces, talents, qualités humaines et passions se sont évanouis eux aussi? Non. Vous possédez encore cette faculté d'accomplir chaque geste avec ferveur et conviction au nom de ce que vous êtes et du rôle très important que vous détenez.

Les roses sont des fleurs magnifiques qui ne cessent de nous charmer, petits et grands. Elles sont belles pour toutes les occasions. Avez-vous d'ailleurs remarqué qu'elles demeurent charmantes même après avoir perdu quelques pétales?

- Joignez à cette lettre une rose et ajoutez cette note: "N'oubliez pas que la beauté de toute chose, personne ou être vivant réside dans son essence".

- Achetez une médaille ou confectionnez-en une et adressez-la lui avec cette remarque: "À un vainqueur pour qui j'ai beaucoup d'admiration".

- Envoyez cette lettre accompagnée d'une gourde et écrivez cette remarque: "Les alpinistes ne l'oublient jamais lorsqu'ils partent vers l'ascension des montagnes. Elle vous aidera sûrement pour les vôtres".

Nouvel handicap

Au moment où je vous écris ces lignes, je rêve que vous acceptiez de me montrer une photographie de vous lorsque vous étiez dans la vingtaine. Je serais curieux(euse) de voir si vos charmes qui sont aujourd'hui si expressifs furent toujours ainsi ou s'ils ont évolué avec les années, un peu comme un vin qui se bonifie.

Vous appartenez à cette catégorie de personnes de tête et de coeur qui sont capables de se battre pour de grandes causes. Une autre bataille vous attend à présent: vivre en harmonie avec ce handicap. Comment? Vous trouverez votre réponse si vous cherchez bien dans votre coffre à trésors personnel. Ce même coffre où vous avez déjà soigneusement déposé tous les joyaux que vous avez composés à coups d'efforts et d'expériences, au fur et à mesure des circonstances. Vous avez toujours rayonné dans n'importe quelle occasion et vous allez encore nous épater.

Je me permets de vous proposer mon soutien, si minime soit-il. Je vous demande humblement de demeurer cette être aux sentiments si généreux qui ne cesse de nous inspirer.

- Joignez-lui la photographie d'une personnalité qu'elle/il apprécie grandement *(chanteur(euse), sportif(ive), écrivain(e), prince(sse), mannequin...)* et ajoutez cette note: "Comme vous, elle/il dégage la générosité et la force de l'être".

- Si votre correspondant(e) doit se déplacer en chaise roulante, offrez-lui un panier, sac ou filet spécialement conçu pour y être accroché. Elle/il pourra y mettre ses effets personnels.

- Envoyez-lui plusieurs objets de couleur jaune *(un crayon, du papier à lettres, un ustensile de cuisine, un verre, un chandelier...)* et écrivez ce commentaire: "Jaune comme le soleil, pour que vous ne cessiez jamais de le voir, même dans les petites choses de la vie".

Les américains sont décidément très ingénieux. Après avoir multiplié les concours de Miss Mode, Miss Beauté et Miss Sourire, ils viennent d'organiser la toute première compétition pour les jeunes handicapés de 5 à 18 ans afin de sélectionner celui qui travaille le plus consciencieusement à construire son bonheur. Les participants étaient très nombreux pour ce rassemblement émouvant. Les organisateurs devaient faire des pauses régulièrement à cause de tous les concurrents qui ne cessaient de parler entre eux, de rire, de se faire des blagues, d'applaudir et de chanter. Cette indiscipline était si belle à voir que les responsables souriaient devant tant de joie. Au diable la rigueur! Les résultats furent surprenants. Chacun d'entre eux a reçu le titre du meilleur handicapé. Ils présentaient tous, sans exception, les mêmes signes d'une grande soif de vivre heureux.

Ta médaille est déjà réservée. Tu es sans cesse dans mon coeur pour la pureté de ton regard, pour ta générosité, pour l'écho de ton rire et pour tout ce que tu es.

- Remettez-lui une médaille, que vous aurez achetée ou fabriquée et ajoutez cette remarque: "Voici la médaille de la détermination, du courage, de la force et de la persévérance. Tu la mérites bien!"

- Trouvez la photographie d'une personne en chaise roulante qui est en train de pratiquer un sport et inscrivez ceci: "Tu dois sûrement le reconnaître. C'est un gagnant comme toi".

- Roulez votre lettre pour la présenter de la même manière qu'une remise de diplôme et maintenez-la ainsi par un ruban sur lequel vous écrirez: "À un(e) champion(ne)".

Pour une personne âgée touchée par un nouvel handicap

Les montagnes semblent exister depuis toujours. Certaines sont plus âgées que d'autres, et nous parlons ici en millions d'années. Elles ont évidemment assisté à bien des transformations, évolutions, orages et canicules. Elles sont pourtant encore là, toujours aussi résistantes et imposantes.

Elles vous symbolisent à merveille. Vous êtes solide comme le roc, robuste face à toutes les intempéries, grand(e) de noblesse et admiré(e) par tous ceux qui vous apprécient.

Malgré ce handicap, vous continuez et continuerez à nous épater. Rien n'est changé en vous, même si des perturbations vous touchent en ce moment. Vous êtes comme les grands voyageurs; capable de vous adapter aux nouveaux chemins que vous devez emprunter.

Que le bleu du ciel soit comme un manteau de réconfort qui vous entoure pour que vous trouviez toujours une raison de sourire.

- Envoyez-lui une image, une peinture ou un dessin qui représente des montagnes en premier plan et notez ceci: "Voici votre véritable miroir".

- Achetez-lui un livre ou un document sur un pays qu'elle/il aime puisque nous parlons de grand voyageur *(un livre de peinture, d'histoire, d'astronomie, d'animaux...)* et écrivez cette remarque: "Pour émerveiller ce grand voyageur en vous".

- Offrez-lui quelque chose d'utile pour les voyages. Il peut s'agir d'une boussole, d'un thermos, d'une gamelle... Ajoutez ce commentaire: "Indispensable pour les grands voyageurs comme vous".

Pour une personne dont un proche est handicapé

La propriétaire d'un restaurant que je fréquente à l'occasion est remplie de sagesse. Elle m'étonne toujours avec ses remarques si réalistes et pondérées. La dernière fois, elle m'a fait prendre conscience que nous avons trop tendance à sous-estimer le rôle, plus ou moins important, que nous jouons auprès de certaines personnes. Nous remplissons cette fonction par nos attentions particulières, nos encouragements et notre affection inconditionnelle. Or, nous n'en sommes pas toujours conscients.

Aujourd'hui, quelqu'un de très important de votre entourage nécessite un soutien spécial pour mieux accepter son handicap. Ce qui vous affecte sûrement indirectement et bouleverse votre quotidien. Ce n'est pas uniquement de l'assistance qu'il réclame, mais un support moral et affectif.

Vous êtes formidable par votre grande générosité et votre immense tendresse. Pourtant n'oubliez pas qu'il vous est aussi indispensable de trouver diverses ouvertures, sources de soutien et de réconfort, tant pour votre équilibre personnel que pour cet autre qui souffre en silence. N'hésitez pas à demander des vitamines à ceux qui en ont en abondance. Sachez que vous n'êtes pas seul(e) et que vous pouvez compter sur bien des personnes.

Que chacune de vos journées vous apporte paix et lumière.

- Prenez une boîte de vitamines vide et mettez à l'intérieur des papiers sur lesquels vous aurez inscrit des qualités de votre correspondant. Ajoutez ceci: "Abusez-en".

- Offrez-lui une place pour un concert de musique de chambre *(le prix est très accessible)*, pour une entrée dans un bar réputé pour ses soirées animées par des chansonniers ou autre. Mentionnez-lui que le billet vous provient directement de cette "sage propriétaire" de votre restaurant familier.

- Envoyez-lui une crème pour les pieds en spécifiant ceci: "Avec tous les pas que vous faites pour aider votre entourage, j'imagine que vos pieds doivent, eux aussi, avoir besoin d'un petit remontant".

Chaque hiver me donne un peu d'inquiétude. En regardant la nature désolée, blanchie et enfouie, je me demande si plantes et arbres résisteront et si les bourgeons se manifesteront au prochain printemps. Que je suis injuste d'entretenir de telles pensées! Comment puis-je me permettre de douter? Mai revient toujours avec ses beautés et ses délicats parfums. Je suis réellement fasciné(e) car ce sont là les meilleurs éléments de la nature pour nous prouver qu'il y a toujours des éclats de vie même sous des paysages immobiles et dégarnis.

Vous êtes probablement quelque part entre le mois de mars et la fin du mois d'avril. Chaque heure vous rapproche un peu plus des belles journées printanières. Cultivez votre patience et votre optimisme. Ce sont des sources bienfaitrices qui vous rendront votre grande forme et peut-être plus rapidement que vous ne l'imaginez.

- Offrez-lui un pot dans lequel vous aurez planté un bulbe ou une graine qui n'a pas encore poussé. Ajoutez cette remarque: "Soyez assuré(e) que si vous lui prodiguez de bons soins, elle/il poussera et vous surprendra bientôt. Tout comme votre santé d'ailleurs!"

- Adressez-lui la photographie d'un paysage d'hiver et notez ceci: "L'hiver est non seulement spectaculaire mais en plus, il est porteur d'une bonne nouvelle: le retour du printemps".

- Achetez-lui une cassette ou un disque compact où sont enregistrés beaucoup de chants d'oiseaux. Remettez-la/le lui avec ceci: "Un avant goût du printemps pour vous charmer".

Je vais me confesser à toi mais promets-moi de ne rien répéter à personne. J'adore faire des petites blagues et justement, j'en cherchais une pour te distraire. J'ai failli te faire parvenir un chaton! Un joli bébé plein de poils avec de fines moustaches pour qu'il t'occupe du matin au soir. Il serait venu se pelotonner contre toi pour te demander mille caresses. Pour occuper ses grandes récréations, il aurait mordillé le bout de tes pieds ou de tes doigts. Il paraît aussi que ce doux animal adore se fourrer sous les couvertures pour jouer à cache-cache. Il t'aurait fait une fête du tonnerre dès ton réveil et il se serait blotti contre toi pour s'endormir.

Mon idée n'a pas fonctionné car celui que j'ai voulu t'envoyer a grignoté l'enveloppe avant même que je ne parvienne jusqu'à la boîte aux lettres. Pas de chance!

Tu verras que le temps passera très vite malgré tout et que tu ne t'embêteras pas. Je t'envoie tout mon amour pour qu'il te tienne chaud jusqu'à ce que je te revoie.

Je pense à toi!

- Offrez-lui un chaton en peluche et ajoutez la note suivante: "Je t'envoie tout de même un petit chaton. Celui-ci ne mange pas les enveloppes. J'ai mis toute ma tendresse dans ses poils pour qu'elle te réconforte lorsque tu en auras besoin".

- Achetez-lui un livre instructif en histoire, physique, géographie, sur la nature... Il en existe plusieurs variétés en fonction de l'âge du jeune.

- Les enfants adorent les friandises. Vous pourriez lui en adresser quelques-unes, si son état le permet. Les gâteries sont toujours des sources de réconfort. Inscrivez éventuellement cette remarque: "Cela te tiendra chaud. Surtout ne dis rien à ton dentiste".

Je voulais vous adresser cette lettre plus tôt, mais sa rédaction fut plus longue que prévue. J'espérais vous faire part de quelques suggestions pour vous occuper. Dans cette optique, j'ai trouvé la pratique de mots croisés, la lecture d'un roman à l'eau de rose, d'un livre spirituel ou historique, la confection d'un tricot, du raccommodage ou la mémorisation des horaires de télévision! Très banal et pas forcément intéressant. Je me suis donc ravisé(e). De plus, je suppose que vous avez déjà dû épuiser tous ces sujets.

Je préfère tout simplement venir grignoter quelques minutes de votre journée pour jouer à la/au journaliste et vous parler des dernières nouvelles dont j'ai eu connaissance. *(À ce stade de la lettre, il serait bon de parler de votre famille, de votre emploi, de vos amours, de vos études, de vos dernières acquisitions, de votre animal domestique, de vos récentes lectures ou promenades... Soyez généreux(euse) sur les détails.)* Il y aurait encore bien des lignes à ajouter mais je dois cesser ma conversation si je veux vous poster ce courrier le plus rapidement possible.

Je vous souhaite un prompt rétablissement. Que vos journées vous baignent de tranquillité et qu'elles vous aident à recouvrer votre santé.

- Envoyez-lui un livre de mots croisés ou fléchés avec votre photographie collée sur le dessus et ajoutez ceci: "Bonne distraction. Je vous surveille du coin de l'oeil".

- Adressez-lui la photographie d'un endroit ou de quelque chose qu'elle affectionne particulièrement *(votre maison, un grand jardin, un pays qu'elle aimerait visiter)*. Au besoin, fouillez dans les revues afin de trouver l'image qui la fera le plus rêver. N'oubliez pas d'écrire au-dessous: "Vous prendrez vous-même cette photographie après votre convalescence".

- Dans le cas où elle passe sa convalescence ailleurs et qu'elle vive avec un conjoint ou des enfants, envoyez-lui plutôt la représentation d'un endroit très désordonné et notezceci: "Dépêchez-vous de guérir, certains ont vraiment besoin de votre grande organisation". Ou alors: "Voilà ce qui vous attend pour votre rentrée". Ceci ajoutera une touche d'humour.

Pour un homme en convalescence

Je ne cesse de penser à vous et de me répéter que je devrais vous rendre visite, pas uniquement par courtoisie mais réellement pour prendre de vos nouvelles. Nous parlerions de choses et autre. À propos, que répondriez-vous si je vous demandais de choisir quelque chose qui vous ferait plaisir? Laissez-moi deviner... un billet pour aller voir une partie de hockey ou un laissez-passer pour assister à une course automobile. À moins que ce ne soit une bonne bouteille de Bordeaux. *(À vous d'énumérer ce qu'il préférerait.)* En fait, je vous entraîne déjà à prévoir vos prochaines distractions après cette convalescence. Sans blague, l'organisation est indispensable!

Je vous souhaite un prompt rétablissement. Que chacune de vos minutes soit une source de repos et de mieux-être. Prenez ce temps comme une période nécessaire pour vous refaire des forces. Recevez mes affectueuses pensées.

- Adressez-lui la publicité d'un événement sportif ou culturel qui doit se dérouler sous peu. Vous pouvez également lui acheter un billet d'entrée pour y assister si vos moyens vous le permettent.

- Envoyez-lui l'étiquette d'une bouteille de vin et ajoutez ceci: "Une étiquette est insipide mais elle permet déjà d'imaginer la suite".

- Joignez à cette lettre un calendrier et écrivez cette remarque: "Pour vous aider à mieux organiser vos journées après votre convalescence".

Pour une personne âgée en convalescence

Je suis obligé(e) de m'avouer vaincu(e). Mon orgueil en est terriblement affecté. Malgré mes efforts et ma très bonne volonté, je ne parviens pas à dénombrer avec précision toutes les époques, saisons, terres et mers que vous avez traversées. Je suis épaté(e) par votre courage, votre foi et votre acharnement. Êtes-vous né(e) avec toutes ces grandes qualités ou les avez-vous apprivoisées au fil des ans? J'espère qu'un jour vous accepterez de me confier vos secrets, car j'ai l'impression que de telles vertus sont indispensables pour franchir toutes les barrières de la vie.

Votre boîte à outils est vraiment bien nantie. Heureusement, car vous avez encore du pain sur la planche. Les vacances vous font rêver? Tant mieux! Vous les savourerez pleinement lorsqu'elles se présenteront. En attendant, vous devez faire face à beaucoup de choses, tantôt du plaisir et tantôt des difficultés. Qu'importe ce qui se présentera. Vous ferez comme toujours. Vous remonterez vos manches et vous plongerez vos mains dans votre coffre pour trouver les moyens qui seront les plus appropriés pour chaque situation.

Que la bonté et la joie continuent à vous couvrir de leurs charmes. Qu'elles soient vos meilleurs remèdes pour votre convalescence.

- Faites un tableau recouvert aux trois quarts par des photographies souvenirs. Laissez la partie restante vide. Joignez la note suivante: "Cet espace inoccupé n'attend que les moments qu'il vous reste à inventer. Vous connaissant, je sais qu'il sera rempli d'amour. Aussi bien dans les bonnes circonstances que dans celles qui seront plus difficiles".

- Achetez-lui une revue destinée aux personnes du troisième âge *(Le bel âge ou autre)* ou un magazine plus populaire et ajoutez ceci: "Bonne lecture".

- Prenez une boîte de médicaments vide et collez une étiquette sur le couvercle sur laquelle vous inscrirez: "Joie et bonté". Joignez un genre de prescription en vous inspirant du modèle suivant. Vous pouvez bien évidemment la modifier à votre guise.

  Posologie: en cas de fatigue morale, ouvrez ce flacon et laissez-vous contaminer par la joie et la bonté qui se tiennent à l'intérieur. L'effet est instantané et vous devriez normalement retrouver votre état habituel très rapidement.

Pour une personne dont un(e) proche est en convalescence

Il est reconnu que la plupart des personnes qui sont dans l'entourage d'un convalescent doivent faire preuve de patience, de force et de courage pour deux. Pour elle-même et pour celle/celui qui est en période de repos obligatoire.

Vous devez vous reconnaître dans cette situation. Ce ne doit pas toujours être évident de maintenir un climat harmonieux et de conserver un moral d'acier tout en l'insufflant à cet autre qui se refait une santé. Les recettes n'existent pas dans les manuels de cuisine. Par contre, elles sont déjà répertoriées dans l'immense livre que vous avez écrit avec les années, à coups d'efforts et de persévérance. Là se trouvent les ingrédients à mélanger pour réussir avec succès les plats du bien-être, de la persistance, de l'optimisme et de l'espoir. Vous les mijoterez comme de coutume, avec passion, entrain et amour pour ensuite les servir. Peut-être même inventerez-vous des mets nouveaux.

Quoi qu'il en soit, demeurez conscient(e) que vous détenez au fond de vous une multitude de trésors aux reflets variés. Continuez à les apprivoiser pour mieux les partager par la suite.

- Composez une invitation à manger chez vous et joignez-la à cette lettre. Vous pouvez ajouter ceci: "Pour le prochain repas que nous partagerons, j'ai prévu d'inclure au menu un plat d'optimisme. J'y ajouterai en spécial toute mon amitié, ma tendresse et mon affection. Un vrai bol de remontant à ne manquer sous aucun prétexte!"

- Adressez-lui un livre sur l'épanouissement accompagné de cette note: "Voici un recueil de recettes bien savoureuses". Consultez notre liste en annexe.

- Offrez-lui un article de cuisine *(fourchette, cuillère, spatule...)* et inscrivez ce petit mot: "Pour vous inciter à poursuivre votre merveilleuse cuisine, aussi bien pour vous que pour les vôtres".

Certaines écoles adressent des prix en fin d'année aux élèves qui ont eu les meilleurs notes ou comportements. Et bien, je viens d'inventer une nouveauté: le trophée de la/du plus courageux(euse). Et je te le décerne.

Tu es vraiment très fort(e) pour avoir réagi comme tu l'as fait. Peu d'enfants auraient été capables de se comporter comme toi. Ce devait être très effrayant et pourtant tu as bien affronté la difficulté.

Les événements surgissent toujours sans que nous ne les attendions. Ils nous bousculent, nous, notre vie et nos proches. Nous éprouvons de la peine, de la peur, de la colère et de l'impuissance. Nous sommes cependant assurés de parvenir à tout surmonter, même les pires tempêtes que nous avons à traverser, lorsque nous savons leur tenir tête ou nous faire aider.

Ta force et ta maîtrise seront de précieuses amies pour chasser les mauvais souvenirs.

- Offrez-lui une cassette sur laquelle vous n'aurez enregistré que des applaudissements de foule. Joignez la note suivante: "Tous ceux qui t'aiment se sont réunis pour te transmettre leurs encouragements et leur admiration".

- Envoyez-lui le sosie d'un objet qu'elle/il affectionnait particulièrement et qui a disparu suite à l'incendie ou dans l'accident. Ajoutez cette phrase: "Que ce symbole soit pour toi une preuve que tout peut se reconstruire".

- Confectionnez-lui la médaille de l'enfant le plus courageux et adressez-la lui.

Traumatisme chez un(e) adulte

Certains événements nous marquent plus que d'autres à cause de l'intensité de scènes précises ou de leurs caractéristiques visuelles, auditives ou physiques. Ils laissent de profondes empreintes dans nos mémoires. Suite à cela, nous devenons un peu comme un magnétoscope où des passages spécifiques se répètent constamment sans que nous ayons de contrôle sur leur temps d'antenne. Cette impression de dépendance est fort inconfortable. Nous avons par contre la liberté de composer nous-même les futurs enregistrements des nouvelles cassettes.

Devenez votre propre réalisateur pour vous fabriquer de tendres numéros, drôles et paisibles afin de parvenir à retrouver paix intérieure et sérénité.

Bonnes prises de vue sur vos plateaux de tournage et derrière vos caméras.

- Joignez soit une invitation pour faire quelque chose d'agréable - surtout en pleine nature - soit des adresses d'endroits à visiter ou d'activités à effectuer. Inscrivez la note suivante: "Voici une proposition pour agrémenter vos prochains enregistrements".

- Offrez-lui une cassette vidéo vierge et notez cette remarque sur le dessus: "Cassette de *(prénom de votre correspondant)* de *(l'année en cours)* à *(à vous de choisir l'année)*. Ne mettez que d'agréables scènes".

- Achetez-lui un coussin et écrivez cette remarque: "Afin que vous soyez confortablement installé(e) lors de vos prochains tournages".

Cuisiner est presque une science. Elle s'apprend et s'enseigne. Le secret de la réussite réside essentiellement dans le respect des quantités, des temps de cuisson et de la qualité des ingrédients pour chaque recette. Un peu trop de farine risquerait de trop épaissir une pâte et pas assez de fromage ne permettrait pas de faire un bon gratin. Dix minutes supplémentaires dans le four et le gâteau ressemblerait à une boule de suie. Par contre, l'omelette serait excessivement baveuse si vous réduisiez son passage dans la poêle. N'importe quel cuisinier se sent très responsable de ce qu'il fait mais également de ce qu'il sert à ses convives.

Aujourd'hui, une personne de votre entourage *(ou encore mieux, citez le prénom de la victime de l'agression)* doit préparer un plat nouveau. Un mets qui lui était encore inconnu jusqu'à présent: se remettre de l'agression dont elle vient d'être victime. Elle ne vous a peut-être pas encore demandé d'aide. Pourtant, cela ne lui serait que bénéfique. Enfilez toque et tablier et allez lui tenir compagnie dans sa cuisine, mine de rien, pour éviter de la mettre mal à l'aise.

Vous la seconderez probablement avec quelques proportions de soutien affectif, une cuillerée de bonne humeur, une double pincée de sécurité, une louche d'enthousiasme et de positivisme... Vous parviendrez aisément, par votre intuition et par votre expérience, à deviner quels sont les ingrédients à mélanger pour réaliser ce mets. Comme il n'y a pas d'écrits spécifiques, vous trouverez les combinaisons en vous.

Bon courage pour seconder votre *(fils, ami, frère, conjoint...)*. Grâce à votre douceur et à vos attentions particulières, les fourneaux et les plaques de cuisson auront l'impression de revivre après votre passage.

- Joignez-lui un tablier avec un motif original, une toque de cuisinier ou un ustensile léger et spécifiez-lui qu'elle/il l'inspirera dans sa cuisine.

- Découpez des étiquettes alimentaires sur lesquelles vous aurez inscrit ses qualités. Ajoutez-les à cet envoi et écrivez ceci: "Vous parviendrez à composer quelque chose de délicieux avec tous ces bons ingrédients".

- Adressez-lui une balance de cuisine. Écrivez ce commentaire: "Très utile pour doser les différents ingrédients d'une recette".

Pour une femme qui s'est fait avorter à contrecoeur

J'ai aperçu votre tristesse et un mouchoir dans votre main. C'est la raison pour laquelle je me permets de vous rendre visite. Les émotions des derniers jours vous ont sans doute beaucoup remuée. Nous pensons parfois que nous sommes invincibles et que nous pouvons mener notre vie à notre guise, comme si nous étions le seul et unique artisan de la toile de notre existence. Or nous ne sommes que le spectateur qui ajoute ici et là des petits rais de couleurs.

Je vous suggère pour l'instant de mettre votre coeur en hiver. C'est-à-dire de laisser passer cet événement, sans trop essayer de le décomposer ou de trouver des causes et des conséquences. Le plus important est que vous preniez soin de vous afin de poursuivre votre route. Un arrêt temporaire est acceptable, à condition qu'il vous permette de reprendre des forces et de vous ressourcer.

Il existe toujours des vibrations de paix un peu partout autour de nous. Puissiez-vous les sentir et les laisser venir à vous pour qu'elles vous enveloppent entièrement.

- Offrez-lui un bonnet de laine ou une écharpe pour lui rappeler de mettre son coeur en hiver et ajoutez ceci: "Le temps de reprendre des forces".

- Achetez-lui un cadenas avec une clé et accompagnez-les de cette note: "Mettez toutes vos idées sombres sous clé durant un bon mois".

- Choisissez un beau contenant avec un couvercle et remplissez-le de pot pourri. Écrivez cette remarque: "Pour vous rappeler que vous n'êtes pas seule".

Traumatisme suite à un accident d'automobile

Le monde du cirque me fascine toujours autant. Ma préférence revient cependant aux trapézistes. Ils s'élancent dans les airs, parfois sans même avoir de filet de sécurité pour amortir une éventuelle chute. Cela arrive cependant à l'occasion. Évidemment, elles sont imprévisibles et toujours stupides. Une malheureuse erreur. Il leur faut alors beaucoup de courage pour reprendre leurs exploits aériens par la suite.

Vous aussi détenez une incroyable force pour affronter bien des obstacles. Celui que vous vivez depuis votre accident ne vous résistera pas. Je vous souhaite beaucoup de détermination et de bravoure pour retrouver votre habituelle hardiesse.

- Trouvez l'image d'un clown souriant et ajoutez ceci: “Bienvenue dans le monde du cirque. Bon courage pour remonter sur votre trapèze”.

- Offrez-lui une pierre qui représente la force et le courage - l'agate, le rubis ou le jade - et notez ceci: “Elle représente la force et le courage. Conservez-la précieusement”.

- Achetez-lui un article pour placer dans la voiture *(un couvre volant, un objet à suspendre au miroir, une petite poubelle d'automobile...)* et inscrivez ceci: “Vous saurez ainsi que je penserai à vous lors de vos prochains déplacements”.

Les causes de l'immigration sont multiples. Il peut y avoir des motivations personnelles, sociales ou politiques. La plupart des personnes qui décident de quitter leur pays ont un point en commun. Elles arrivent avec un minimum d'effets et de biens et doivent se reconstruire presque entièrement, surtout celles qui quittent hâtivement leur patrie. La majorité d'entre elles parviennent à se bâtir un nouvel environnement avec le temps, la patience et la confiance. Ce n'est pas un mince travail. Elles le réussissent cependant du fait qu'elles ont apporté l'essentiel: elle et leur coeur. Oui, parce qu'il en faut du coeur pour recommencer une autre vie ailleurs. Même si ce défi n'est pas tous les jours une partie de plaisir, il n'en demeure pas moins réalisable.

Vous êtes un peu comme ces immigrés qui se retrouvent au début de leur nouveau parcours. Il ne vous reste peut-être qu'une maigre valise, mais c'est la bonne, la meilleure. Celle qui contient le plus important: votre force, votre courage et votre expérience. Accrochez-vous à ce beau bagage et ne vous retournez surtout pas afin de ne pas ralentir votre démarche. Vous aviez un château et vous allez conquérir un empire!

Plus loin que les mots, plus forts que les silences, il existe les sentiments. Ce sont eux qui vous transporteront d'étape en étape, de réalisation en réalisation pour que demain soit plus merveilleux qu'hier.

- Si vous lui aviez offert quelque chose qui a disparu dans l'incendie, vous pourriez peut-être lui en envoyer un autre exemplaire afin qu'elle/il reconstitue son environnement.

- Adressez-lui l'image d'une très longue route et écrivez ceci: "Tout le monde peut se rendre à destination à condition d'y aller un pas à la fois".

- Achetez-lui l'histoire du lièvre et de la tortue et notez ceci: "Rien ne sert de courir. Il suffit de respecter son rythme et de ne pas se détourner de son objectif".

Traumatisme chez un(e) adulte suite à un incendie

Les instants précieux ne s'inventent pas. Ils se dessinent sur nos paysages lorsque nous sommes seul(e), à deux, ou à plusieurs. Chacun de nous est une grande mosaïque de souvenirs qui sont précieusement gravés sur les tissus drapés de nos mémoires. Nous devenons des collectionneurs avec les années. Nous conservons précieusement les parties importantes de notre vécu comme des pièces d'art. Nous les regardons souvent. Elles nous parlent de notre histoire, de notre naissance, de ce fameux jour où nous les avons adoptées et des sentiments qui nous habitent... ou qui nous envahissent. Qu'il est plaisant de se rappeler de tout cela!

Vous avez perdu beaucoup de ces oeuvres sentimentales que vous affectionniez tant et qui représentaient des moments importants de votre existence et de votre quotidien. Mais contre vents et marées, vous conservez et conserverez toujours cette intimité qui vous lie encore à elles. L'âme de chacun de ces trésors est en vous, quelque part entre vos yeux et vos oreilles. Elles ne s'effaceront ni ne s'éteindront jamais.

Un simple sourire est un bon début pour commencer ou recommencer une collection de pièces de tendresse. Je vous en adresse par milliers pour qu'ils s'ajoutent à tous ceux que vous possédez déjà.

- Offrez-lui une jeune plante et ajoutez ceci: "Tout comme la reconstitution de votre musée d'oeuvres sentimentales, elle se développera de plus en plus au fil du temps et grâce à vos bons soins".

- Adressez-lui le premier objet d'une collection *(oeuf, tasse, cuillère, poupée, timbre...)* et écrivez cette remarque: "Ce n'est que le début de votre collection d'oeuvres sentimentales".

- Envoyez-lui une boîte de crayons de couleur et inscrivez ce commentaire: "N'hésitez pas à mettre des couleurs sur les nouveaux dessins de votre vie".

Traumatisme chez un enfant suite à un vol

Le calme est enfin revenu dans une famille de la tribu "Papaya" qui s'était fait voler chez elle durant son absence. La police était venue constater ce délit et lui avait dit de ne pas s'inquiéter, que tout était fini. Cependant, l'enfant de la maison avait tellement peur qu'il faisait des cauchemars. Il craignait sans cesse que cela ne se reproduise et se demandait très souvent s'il n'allait pas un jour surprendre un cambrioleur derrière une porte. Quelque temps après, il s'est décidé à parler de ses craintes à ses parents car il ne voulait plus continuer à vivre ainsi. Ils furent très surpris par sa confession car ils n'avaient jamais soupçonné cela. Ils l'ont rapidement rassuré en lui certifiant qu'il ne risquait rien comme eux étaient là. Le jeune a décrit tout ce qu'il ressentait et tout ce qui l'effrayait encore. Son papa et sa maman lui ont donné un gros sac de bonnes astuces et de ruses pour que ces idée ne le perturbent plus.

À toi aussi, il te manque probablement des outils à mettre dans ta large sacoche pour parvenir à être pleinement heureux. Demande-les à ceux qui t'entourent. Ils comprendront fort bien et ils t'en donneront en quantité ou ils trouveront quelqu'un pour te les offrir s'ils ne les possèdent pas. Ils ne te les proposeront peut-être pas car ils ne devinent pas ce que tu veux et ce que tu ressens. Ouvre les portes qui retiennent les mauvais souvenirs et laisse-les repartir. Ils n'ont plus rien à faire chez toi.

Si tu as besoin d'aide pour enlever les verrous ou pour trouver le trou de la serrure de ton coffre aux mauvais souvenirs, n'hésite pas à m'appeler! Bye, bye.

- Offrez-lui une statuette ou un personnage qu'il affectionne et ajoutez cette note: “Il est le meilleur messager pour te confirmer que tu n'as plus rien à craindre. Il te tiendra compagnie et te rassurera lorsque tu en auras besoin”.

- Adressez-lui une clé et inscrivez ceci: “Pour ouvrir les portes de ton coffre aux mauvais souvenirs afin qu'ils s'en aillent”.

- Envoyez-lui une multitude de cadeaux emballés et regroupés dans une boîte en carton. Le but est que la quantité l'impressionne. Il existe beaucoup de jouets ou d'objets utiles dont le prix est très accessible: des crayons, des petites voitures, une casquette, un calendrier, un livre, un tableau, une lampe, du matériel scolaire... L'important est de faire naître chez lui beaucoup d'excitation. Vous pouvez ajouter ce commentaire: “Il existe de belles surprises malgré tout”.

Traumatisme chez un(e) adulte suite à un vol

Je vous soupçonne de n'avoir jamais vraiment réalisé que vous êtes un(e) jardinier(ère) hors pair depuis votre tendre enfance. Vous avez travaillé corps et âme pour embellir votre jardin qui était bien modeste au départ. Les nouvelles espèces de plantes que vous achetiez étaient de beaux investissements. Vous faisiez des croisements et vous ne cessiez de vous démener pour sans cesse améliorer ce confort.

Mais aujourd'hui, désastre! Quelqu'un est venu arracher des morceaux de ce que vous aviez créé et a foulé vos beaux parterres. Coup dur pour le moral. Néanmoins, vous connaissant, vous n'allez pas vous arrêter là. Bien sûr, ce n'est pas juste qu'un étranger vous agresse indirectement de pareille sorte. Cependant, vous ne pouvez pas revenir en arrière pour changer la scène. Votre vie n'est pas une cassette vidéo que vous pouvez faire avancer ou reculer. Et elle serait franchement médiocre si elle restait sur la touche “pause”.

Sortez votre chapeau de paille, votre pelle et votre arrosoir. Allez vous occuper des plantations qui vous restent et préparez une place pour les nouvelles que vous acquerrez. Vous êtes une personne fonceuse. C'est inné chez vous!

Chaque minute qui s'écoule est un bouton de fleur qui passe, un bien précieux qui vous échappe peut-être, alors ne perdez pas un instant.

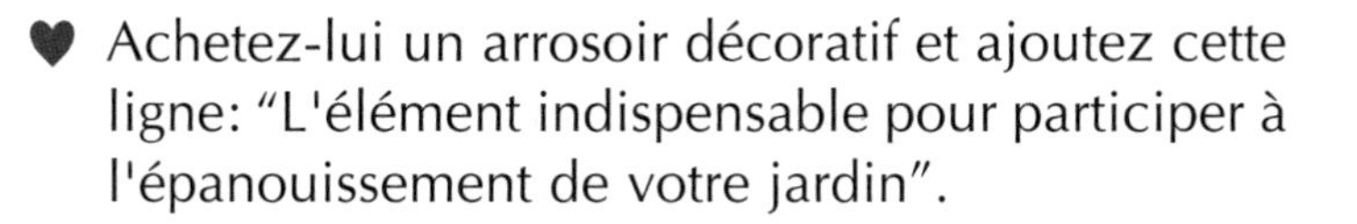

- Achetez-lui un arrosoir décoratif et ajoutez cette ligne: “L'élément indispensable pour participer à l'épanouissement de votre jardin”.

- Composez-lui un bon de colère au cas où ce serait encore utile. Inspirez-vous du modèle ci-dessous. Inscrivez cette note: “Afin que vous retourniez plus rapidement à votre jardinage avec de meilleures pensées”.

  Bon de colère:

  Froissez-moi!

  Déchirez-moi!

  Écrasez-moi!

  Mais après, débarrassez-vous de moi.

- Fabriquez-lui un panneau de circulation qui indique la vitesse minimum à respecter. Dans ce cas elle sera au moins de 150 KM à l'heure. Vous pouvez le dessiner sur une feuille à part ou le concevoir à partir de carton semi-rigide. Écrivez ce commentaire: “Foncez. C'est inné chez vous”.

Traumatisme chez une personne âgée suite à un vol

Je ne parviens pas à trouver de mots pour vous exprimer ma consternation. Vous avez dû être secoué(e). C'est bien normal. Vous vous sentez probablement dépossédé(e) et sûrement blessé(e). Pourtant, je sais que cet état n'est que passager. Vous êtes comme un(e) musicien(ne) qui a déjà créé des millions de mélodies avec ses propres notes. Un ré par-ci, un fa par-là. Et en avant la musique! Vous ne vous arrêtiez jamais, même lorsque vous étiez fatigué(e). Vous avez toujours été animé(e) par une force extraordinaire et une chose est certaine, personne ne vous l'a volée. Elle est encore en vous et elle s'appelle courage.

Sachez enfin que nous sommes nombreux à vous supporter. Nous demeurons tous fidèles à vos côtés pour vous encourager peut-être et pour vous applaudir, sûrement.

- Joignez une feuille sur laquelle vous aurez dessiné des notes de musique dispersées, accompagnées de cette brève phrase: "De la part de tous vos admirateurs *(enfants, petits-enfants, frères, soeurs, voisins, amis...)*".

- Trouvez la photographie d'une foule et ajoutez ceci: "Tous ces gens se sont rassemblés pour venir supporter l'artiste que vous êtes".

- Envoyez-lui un sac à poubelle et notez ce commentaire: "Pour jeter les mauvaises sensations et pensées qui vous habitent depuis cet événement".

Traumatisme chez un enfant suite à un carnage ou un vol

J'ai longtemps cherché un beau coquillage pour te l'envoyer. Il t'aurait fait rêver aux vacances, au sable et aux baignades. J'aurais marqué des petits mots doux sur sa coquille pour que tu puisses les lire et les relire à ton gré. Mais je n'ai rien trouvé. Alors je vais me passer de cette idée pour tout simplement te dire que je pense très fort à toi. Pourquoi? Juste comme ça, parce que je trouve que ton attitude et ta réaction face à ce qui s'est récemment passé dénotent une très grande force et beaucoup de courage.

Certaines personnes font parfois des choses qui ne sont pas très bien. Elles n'ont pas vraiment l'intention de mal agir. Elles suivent juste une vilaine petite voix. Elles ne sont pas méchantes mais elles agissent ainsi sans réfléchir aux conséquences pour les autres. Tu aurais beaucoup à leur apprendre sur la gentillesse parce que toi, tu en es la reine/le roi.

- La personne victime d'un carnage a souvent l'impression que la maison a été entièrement salie et souillée. Cette sensation se répand même dans son corps. Offrez-lui une serviette "magique" *(avec un personnage de Disney qu'elle/il adore)* et ajoutez cette ligne: "Pour finir de nettoyer toutes les impuretés de cette pénible expérience".

- Trouvez un cordon noir qui représenterait une ceinture de judo ou de karaté et notez ceci: "Tu la mérites bien!"

- Envoyez-lui une bille et écrivez ce commentaire: "Je ne suis pas revenu(e) bredouille! Voilà ce que j'ai trouvé à l'intérieur du plus courageux des coquillages. Elle te portera chance".

Traumatisme chez un(e) adulte suite à un carnage ou un vol

Les livres d'histoire sont parfois riches en anecdotes. L'une d'elles rapportait qu'au dix-huitième siècle, un manoir avait été saccagé par des bandits de grands chemins. Le maître des lieux fut fort secoué et apeuré par tant de sauvagerie. Il s'est ensuite repris. Au lieu de rester la tête entre les mains devant cette désolation, il est allé mettre un cierge à brûler pour pardonner aux bandits. Entretenir de la haine et de la rancune l'empêchait de se concentrer. Il s'est persuadé que si la vie lui avait permis de construire une première fois ce nid douillet, elle ne ferait que davantage le soutenir pour le recommencer. Et même en mieux.

Ce n'est pas d'un manoir dont il s'agit dans votre cas mais d'un bateau qui vient de perdre quelques voiles. Une fois que vous aurez jeté à la mer tout ce qui vous encombre et qui ronge vos énergies, vous parviendrez à en hisser d'autres qui seront éventuellement plus belles. Conservez sur votre pont uniquement des sentiments qui vous aideront à bien gouverner votre bâtiment, sinon, vous risqueriez de vous heurter à des bancs de rochers, faute d'attention.

Que la paix revienne vous habiter et que les vents vous transportent vers des courants qui ne vous seront que bénéfiques.

- Offrez-lui un cierge ou une bougie et ajoutez ceci: "La lumière est source de réconfort et d'espoir".

- Trouvez des morceaux d'étoffe qui rappellent les voiles des navires et inscrivez ceci: "Pour vos voiles du renouveau".

- Envoyez-lui un petit bateau et notez ce commentaire: "Pour vous aider à voguer vers de belles destinations".

Traumatisme chez un enfant suite à une agression physique

Je ne sais pas si je t'ai déjà mentionné que lorsque j'étais jeune, je rêvais de devenir un(e) ami(e) confident(e). J'aurais tout simplement été près des gens pour qu'ils se sentent moins seuls à traverser des situations qui font mal au coeur et à la tête et qui laissent un goût amer. Je n'aurais fait aucun miracle mais j'aurais tenté d'apaiser leur peine et leur solitude. Avec le recul, je constate qu'il est indispensable que chacun ait quelqu'un de plus ou moins proche pour se confier en toute sécurité. Il est presque impossible de parler de soi et de ses émotions à n'importe qui. Par contre, cela devient un grand soulagement et une aide certaine si nous nous adressons à une personne qui nous apprécie grandement et que nous aimons beaucoup. Elle nous comprend sans nous juger et souhaite avant tout notre bonheur.

J'ai pris le temps de partager avec toi mes réflexions pour simplement t'exprimer mon attachement. Tu as été très secoué(e) ces derniers temps, aussi bien physiquement que moralement. Je ne doute pas un seul instant de ta force. Cependant, je continue à croire que les moments houleux sont plus facilement dépassés lorsque nous sentons qu'il existe quelqu'un pour nous aider et pour nous écouter. Je t'envoie toute ma tendresse. Sache que tu peux m'appeler ou m'écrire si tu le désires.

P.S. Si vous ne vous sentez pas à l'aise pour écouter ses confidences et commentaires dans ce genre de difficultés, changez la dernière phrase pour la suivante: sache qu'il y a des personnes qui possèdent beaucoup d'outils pour aider les autres à traverser ce genre d'épreuves. Si tu le désires, je pourrai te suggérer des références.

- Envoyez-lui du papier à lettres pour faciliter son geste au cas où elle/il souhaiterait vous écrire. Inscrivez ce commentaire: "Ne te sens surtout pas obligé(e) de m'écrire. Je te l'offre au cas où tu souhaiterais correspondre avec quelqu'un ou t'en servir comme journal intime".

- Joignez une carte d'appel téléphonique pour l'inviter à vous contacter éventuellement si vous jugez que l'aspect financier est à prendre en considération. Certaines sont limitées en temps d'utilisation.

- Offrez-lui une pierre qui symbolise le courage *(l'agate - le jade - le rubis)* ou l'amour *(le grenat - le jade - le saphir)* et notez ceci: "Conserve-la précieusement. Elle te sera fidèle". Vous pouvez consulter notre liste de pierres en annexe.

Traumatisme chez un(e) adulte suite à une agression physique

Le ciel est fascinant, aussi bien pour l'oeil que pour l'esprit. Il porte tantôt une robe étoilée noire et tantôt une tenue bleu azur. Il est parfois orné du soleil, de nuages, de vents ou d'éclairs. Malgré la force de l'agitation climatique, il parvient toujours à retrouver le calme grâce à la paix qui est en lui.

L'être humain lui ressemble parfois. Il est également amené à subir des passages tumultueux, des tempêtes apeurantes et des perturbations provoquées par des éléments extérieurs. Il doit s'accrocher pour passer à travers ces couches nébuleuses... mais après la pluie, le beau temps.

Vous traversez actuellement une importante masse nuageuse. Cependant, je crois que vous avez suffisamment d'heures de vol et d'expérience pour savoir que vous maîtrisez les bonnes techniques pour bien vous orienter. Souvenez-vous de tous ces trajets, décollages et atterrissages spectaculaires que vous avez déjà effectués. Les pilotes invétérés de votre classe ne peuvent que parvenir à se sortir de n'importe quel stratus ou cumulonimbus.

Tenez bon et soyez persuadé(e) que vous vous dirigez tranquillement vers l'accalmie. Si vous avez besoin d'aide, faites appel à la tour de contrôle. Vous trouverez toujours quelqu'un pour vous écouter et pour vous donner de pertinents conseils quant à votre position et au point cardinal à suivre.

Détail important. Vérifiez votre niveau de carburant dans vos réservoirs et faites le plein s'il est trop bas. Il y a des pompes un peu partout autour de vous.

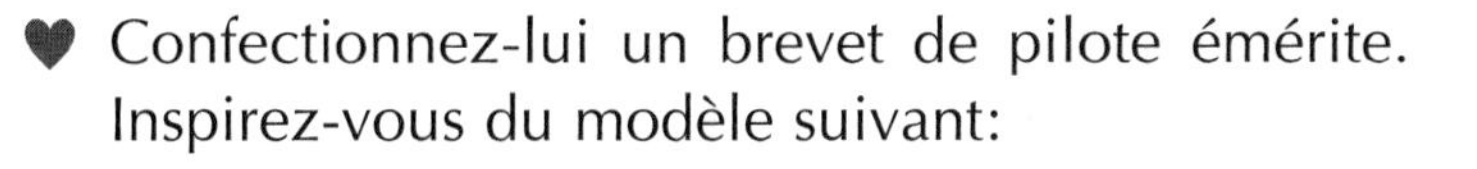

- Confectionnez-lui un brevet de pilote émérite. Inspirez-vous du modèle suivant:

  Brevet de pilote émérite

  décerné à *(nom et prénom de la personne)*

  le *(la date)* à *(le lieu)*

  pour ses qualités de *(faire une brève description de ses qualités).*

- Adressez-lui l'image d'un beau ciel clair et écrivez ceci: "Je vous souhaite de bientôt retrouver un merveilleux ciel calme pour vivre et partager de nouvelles envolées".

- Vous pouvez joindre à votre correspondant vos coordonnées et celles d'amis en précisant qu'il s'agit de la 'tour de contrôle'.

Pour une femme qui a été victime de harcèlement sexuel

Nous sommes parfois placés, malgré nous, dans des situations fort déplaisantes. Nous voudrions les dénoncer mais nous craignons les représailles. Les sentiments de culpabilité ou de peur sont parfois intenses au point de réfréner nos élans premiers. Tout dépend de ce qui doit être rapporté et des personnes impliquées. Bref, il en faut du cran pour prendre les mesures qui s'imposent.

Vous avez eu beaucoup de courage, aussi bien pour endurer ces attaques que pour les dévoiler. Non seulement ce premier pas vous libérera définitivement de ce fardeau, mais en plus il évitera que d'autres femmes n'en soient victimes.

Vous pouvez être fière d'avoir osé faire tomber les voiles de cette histoire. Soyez assurée que bien des personnes comme moi vous soutiennent moralement. Nous souhaitons que vous retrouviez rapidement la sérénité. Que mes amicales pensées vous encouragent et vous épaulent.

- Il serait très opportun de demander à vos collègues *(hommes ou femmes)*, à des amis, des proches ou parents qui connaissent également la concernée, de signer soit cette lettre, soit un joli carton ou une jolie carte qu'elle pourra conserver. À condition que toutes ces personnes aient été mises au courant de la situation par la victime elle-même.

- Offrez-lui un joli verre à vin avec une bordure or ou une gravure et mentionnez-lui ceci: "Celui-ci est réservé pour fêter votre cran, votre audace et votre force de personnalité. Bravo!"

- Envoyez-lui un très grand papier et écrivez ce commentaire: "Inscrivez-y tout ce qui vous a perturbé et qui vous déstabilise sûrement encore. N'hésitez pas à vous en débarrasser par la suite".

Pour une femme qui est victime de violence conjugale et qui en parle

Nous naissons tous avec un potentiel de forces distinctes que nous développons au cours de notre existence. Les étapes que nous franchissons nous permettent de les découvrir et de les cultiver. Il n'existe aucun obstacle que nous ne puissions franchir. Pourquoi la vie nous acculerait-elle à une montagne? Pour nous empêcher d'avancer? Alors pourquoi serions-nous sur terre? Nous devons bien souvent user de force et d'énergie pour pratiquer nos différents talents afin de réussir avec succès notre parcours. Nous devons nous faire confiance et nous encourager. Quelle satisfaction lorsque nous atteignons enfin notre objectif malgré la difficulté du trajet!

Je vous souhaite de toujours parvenir à explorer les pouvoirs qui vous conduiront au-delà du présent, vers un futur qui vous comblera. Vous avez le droit d'être et de savourer le bonheur, lequel passe par le respect et le calme. La liberté ne tient qu'à un fil, invisible et indestructible: le désir et la volonté de se vouloir toujours libre.

- Offrez-lui un vase vide qui possède une large ouverture et ajoutez ce commentaire: "Je vous souhaite d'atteindre la même liberté que l'air qui se trouve dans ce vase. Puisse-t-il vous inspirer force et détermination".

- Joignez à votre envoi la photographie d'un grand explorateur *(J. Cartier, M. Polo, S. De Champlain...)* et notez ceci: "Ce personnage est le symbole du courage et de la force. Conservez son portrait bien en évidence pour qu'il vous aide à utiliser positivement ses qualités qui vous caractérisent aussi".

- Adressez-lui un outil utilisé par les alpinistes. Vous en trouverez dans les magasins de sport. Écrivez cette remarque: "Pour avancer avec force et énergie, comme les alpinistes".

Pour un(e) jeune qui a vécu un échec scolaire

Les artistes, quelque soit le domaine dans lequel ils excellent, font preuve d'une extraordinaire persévérance. Dans la plupart des cas, les débuts sont toujours très épineux. Ils doivent constamment se battre au nom de leurs talents. Les refus qu'ils essuient de part et d'autre n'ont pourtant pas raison de leur foi en eux-mêmes. Leur conviction est si profonde et inébranlable qu'elle leur permet d'encaisser n'importe quel coup dur. Ils tombent souvent sur les genoux mais ils se relèvent toujours pour poursuivre leur mission qui est de s'affirmer, de se faire connaître et de 'percer'.

Tu possèdes toi aussi un côté artistique. Celui de te créer petit à petit. Certaines étapes, nécessaires et indispensables, passent par l'apprentissage. Une chute n'est vraiment pas catastrophique. Elle peut même être bénéfique car elle permet de mieux développer ce qui était passé trop rapidement la première fois. D'ailleurs, de toi à moi, l'important est l'arrivée et non le parcours emprunté pour y accéder. Profite au contraire de cette nouvelle chance qui t'est donnée pour renforcer tes bases. La majorité des célébrités se répètent souvent qu'elles sont nées pour réussir à accomplir ce qu'elles aiment et que rien ne peut les arrêter.

Fonce et ne regarde surtout pas là où tu as trébuché mais vois au contraire ce qui t'attend: les applaudissements de tous ceux qui sont toujours fiers de toi.

Je t'adresse déjà mes félicitations pour tout ce que tu parviendras à accomplir.

- Préparez-lui un bulletin de notes, inscrivez son prénom à l'intérieur et ajoutez ceci: "Tes chances de succès sont de 100%. Bravo!"

- Joignez à votre correspondant(e) la photographie ou un article d'une personne qu'elle/il apprécie beaucoup. Un(e) chanteur(euse), un(e) acteur/actrice, un(e) sportif(ive), un(e) comique, un(e) politicien(ne)... et ajoutez cette note: "Tu serais étonné(e) de savoir toutes les chutes qu'elle/il a subies avant d'en être là".

- Envoyez-lui un jeu de patience ou un casse-tête et écrivez cette remarque: "Il faut du temps et de la patience avant de voir le résultat final de toute chose".

Pour un parent dont un des enfants vient d'échouer sa scolarité

Apprendre à se tenir sur une bicyclette et à la conduire relèvent de l'exploit pour les très jeunes. Cet exemple s'applique à merveille aux enfants qui débutent leurs études. Lorsque le jour de leur grand apprentissage arrive enfin, certains parviennent à trouver un équilibre très rapidement et deviennent vite autonomes. Par contre, d'autres font beaucoup de chutes. Ils se blessent peut-être même aux genoux ou aux mains. Que faire? Persévérer ou abandonner? Je pense que cela dépend de leur caractère mais également des encouragements qu'ils reçoivent. Un peu de réconfort et de compréhension stimulent sûrement le jeune vers la poursuite de son défi et la recherche de la victoire. Ceci est également valable pour les études.

Votre belle famille est comme un moulin que vous alimentez sans cesse avec vos élans d'affection. C'est ce qui compte le plus. Continuez à les dispenser généreusement. Et encore plus à cet enfant qui doit être très malheureux d'avoir des fautes sur son parcours scolaire. Peut-être même que son assurance en est affectée. Il parviendra très certainement à reprendre plus rapidement confiance en lui si vous lui reflétez une image de gagnant. Certaines erreurs sont si minimes qu'elles s'oublient facilement sous la force de l'amour.

- Joignez à cet envoi une bicyclette miniature accompagnée de ce commentaire: "C'est toujours un grand plaisir de l'utiliser même si l'apprentissage fut plus ou moins laborieux!"

- Trouvez l'image d'un moulin et notez cette remarque: "Bravo pour la patience et l'amour avec lesquels vous alimentez votre moulin familial".

- Adressez-lui une gomme à effacer et écrivez ceci: "Indispensable pour faire disparaître rapidement nos déceptions passagères". Cette suggestion s'adresse aux parents et non à l'adolescent.

Pour une jeune personne qui a perdu son emploi

Les nouvelles que nous livrent les médias ont pour la plupart des résonances négatives, voire même déprimantes. Une guerre là-bas, un suicide par ici et des révoltes sanguinolentes ailleurs. Plus proche de chez nous, la criminalité, les difficultés politiques, sociales et d'emploi sont les premières informations qui nous sont régulièrement livrées. Bref, ce tableau est loin d'être réjouissant. Il serait inutile de faire l'autruche en se mettant la tête dans le sable pour éviter de se confronter à cette réalité. Par contre, trouver ou s'inventer des moyens pour se protéger moralement afin de ne pas chanceler sous cet amas de tristes événements serait fort pertinent.

La règle numéro un, préconisée pour atteindre plus rapidement ses objectifs, est de redoubler de confiance en soi, de reconnaître toutes ses compétences et capacités et de les considérer comme des acquis inébranlables. Il est aussi indispensable de ne cultiver qu'un entourage qui se distingue par son positivisme. Apprendre à faire une gymnastique mentale en remplaçant chaque idée dévalorisante qui nous menace par son opposée s'avère également très efficace. Ce sont là d'excellents plans de travail. Ils permettent d'acquérir encore plus de force de caractère et de ferveur pour réussir.

Que ta jeunesse te transporte sur les meilleurs chemins. Serre les poings et sois convaincu(e) que les plus belles récoltes ne sont pas les généreux fruits que nous cueillons de branches en branches mais les graines que nous semons pour obtenir ces arbres.

- Trouvez des images de sportifs en pleine action *(saut à la perche, course, tennis, natation...)* et notez ceci: "L'entraînement est indispensable pour parvenir à se classer parmi les gagnants".

- Adressez-lui des graines de tournesol et inscrivez cette remarque: "Des graines d'espoir pour que ces fleurs du soleil brillent aussi dans ton coeur".

- Achetez-lui un petit arrosoir et écrivez cette remarque: "Pour arroser régulièrement ta confiance en toi".

Pour une personne qui a perdu son emploi

Nos anciens doivent être parfois bien dépassés par les incessantes évolutions de notre société. La modernisation qui va bon train nous entraîne dans d'étourdissantes rondes. Les découvertes suscitent notre étonnement et notre admiration. Il sera bientôt plus rapide d'aller sur Mars que de faire Los Angeles/San Francisco! L'aspect professionnel n'échappe pas à ce mouvement. Si autrefois nous ne faisions qu'un seul travail durant toute notre vie, il en est bien autre à présent. Un serveur doit être prêt à devenir représentant, téléphoniste ou couvreur, ce qui montre à quel point le marché du travail est précaire et que nous sommes tous menacés à plus ou moins longue échéance.

Vous retrouver sans position sociale ne signifie absolument pas que vous soyez dépossédé(e) de votre être. Ce changement de situation ne vous prive aucunement de vos facultés et de votre potentiel. Certes, un pan de mur de votre construction s'effrite. Mais vous êtes trop talentueux(euse) et intelligent(e) pour le regarder se fissurer plus longtemps. Vous avez tous les outils du parfait maçon pour reprendre la situation en main. Fouillez minutieusement dans la boîte où vous les avez entassés depuis toutes ces années. Rappelez-vous de ceux que vous aviez utilisés lors de vos plus terribles épreuves. Vous les aviez maniés avec tant de dextérité qu'ils ont acquis une certaine endurance.

N'oubliez pas que les plus grandes victoires sont celles que nous remportons avant tout sur nous-même.

- Envoyez-lui un peu de ciment ou un scellant utilisé dans le domaine de la construction et écrivez ceci: "Indispensable pour les réparations imprévues".

- Trouvez la photographie ou l'image d'une planète et ajoutez cette phrase: "Ne partez pas là-bas pour chercher un emploi, il y en a un qui vous sourira très prochainement près de vous".

- Offrez-lui un livre sur les techniques de recherche d'emploi. Consultez notre liste en annexe.

Pour une personne qui a perdu son emploi

Les compétitions sportives ou les matchs de rencontres sont très souvent filmés par les responsables des équipes afin de pouvoir les revisionner avec les athlètes. Ils tirent avantage de cette retransmission pour évaluer ensemble quelles techniques auraient pu ou non être adoptées ou non. C'est en quelque sorte une période de recul nécessaire pour définir de nouvelles stratégies qui confèreraient plus de pouvoir aux sportifs pour s'affirmer et se rapprocher de leur but: gagner.

La perte de votre emploi n'est pas une partie de base-ball que vous pourriez regarder en compagnie des autres membres du club. Mais tout comme ces athlètes, cela pourrait être le moment propice pour redéfinir de nouvelles orientations qui vous conviendraient encore plus et qui vous apporteraient davantage de satisfaction et de bien-être.

Je suis persuadé(e) que les circonstances qui ponctuent notre existence surviennent toujours pour nous conduire vers du meilleur. La régression n'existe pas, à moins que nous ne la laissions s'installer. Votre situation actuelle ressemble étrangement aux tunnels. Ils possèdent deux directions: l'une pour faire demi-tour et l'autre pour avancer vers la fabuleuse découverte d'une autre étape d'un long voyage. Chaque instant vous rapproche un peu plus de cette lumière qui apparaîtra bientôt sans vous prévenir. Votre train avance toujours même lorsque vous avez l'impression qu'il reste sur place ou qu'il ralentit sa vitesse. Faites entièrement confiance au conducteur de la locomotive: votre vie.

Je vous adresse des rails d'espoir et des wagons d'encouragements.

- Essayez de trouver un wagon miniature et remplissez-le de friandises. Ajoutez-le tout à votre envoi avec cette note: "Je vous livre un petit peu de douceur en express".

- Fabriquez-lui un tunnel avec un rouleau vide de papier essuie-tout et inscrivez ce commentaire: "Un tunnel comprend toujours deux ouvertures même si nous en doutons lorsque nous sommes pris à l'intérieur".

- Composez-lui un billet d'avion, de bateau ou de train, sur lequel vous écrirez: "Embarquement immédiat pour aller vers de nouvelles découvertes".

Pour une personne qui a perdu son emploi

Les couvents et monastères étaient autrefois des lieux très clos qui n'avaient qu'un aspect religieux. Cette règle a bien changé, puisqu'à présent ils ouvrent leurs portes au grand public et exposent leurs produits artisanaux pour la vente. Ces lieux sont aussi accessibles à des personnes désireuses de se retirer dans un contexte calme pour réfléchir et prendre du recul vis-à-vis de leur vie personnelle.

Nous pouvons tous parvenir à faire le point sur des situations délicates qui nous concernent, sans pour cela passer par ce genre d'expérience. S'accorder à domicile un temps de répit pour mieux repartir est très bénéfique.

Je pense particulièrement à vous. Le deuil de votre emploi vous demande beaucoup de courage et de volonté. L'énergie qui vous anime est peut-être ralentie mais elle bouillonne toujours en vous. Votre âge est un inconvénient? Nous reflétons toujours celui que nous voulons nous donner! Et je ne vois en vous que les traits d'une éternelle jeunesse qui a soif de découvertes et de savoureuses réussites. Vous avez l'exceptionnelle chance de vous adjoindre, en plus, la sagesse. Le rabbin Harold Klushner disait qu'il préférait considérer la vie comme un bon livre. À mesure qu'il avançait dans sa lecture, tout commençait à se tenir et à avoir du sens.

Je vous souhaite à vous aussi une bonne lecture. Que chaque nouvelle page tournée vous emmène un peu plus au coeur de l'histoire - votre histoire!

- Écrivez la pensée du rabbin Harold Klushner sur un petit carton et adressez-le à votre correspondant. Il aura le loisir de toujours la conserver à portée de la main.

- Offrez-lui un disque compact de musique grégorienne. Consultez la liste que nous vous proposons en annexe. Inscrivez la note suivante: "Pour vous permettre de trouver le calme bienfaiteur des monastères dans votre maison".

- Adressez-lui une clé *(réelle ou en chocolat)* et ajoutez ce commentaire: "La clé du bien-être".

Pour une personne qui ne parvient pas à se trouver un emploi

Il était une fois... vers la fin du Moyen Âge, une très jeune personne qui avait quitté son domicile familial pour aller se chercher un emploi dans la grande ville. Elle n'avait jamais reçu d'encouragements de quiconque. Certains habitants de cette cité ont essayé de la voler. D'autres lui ont raconté des mensonges pour la ridiculiser. Et je passe toutes les autres mésaventures qui lui sont arrivées en peu de temps. À cette époque, la devise était oeil pour oeil, dent pour dent. Elle dormait à la belle étoile faute d'emploi, d'argent et de maison. Un soir de grande fatigue, elle pleurait adossée au pied d'un arbre lorsqu'une petite voix lui vanta tous ses mérites et qualités. Elle lui a rappelé qu'elle ne devait pas oublier que sa patience, son courage, sa diplomatie, sa persévérance, son intelligence et sa détermination étaient les traits dominants de sa grande beauté. Tous ses efforts seraient bientôt récompensés. Cependant, il fallait éconduire sans ménagements le découragement ou les pensées négatives qui n'étaient que de mauvais conseillers.

Elle a trouvé une place quelques mois plus tard chez un homme très humain. Le bonheur lui souriait enfin. Après cela, elle s'est promis de toujours écouter cette voix qui la visitait et de lui faire confiance.

Le marché de l'emploi actuel est difficile. Mais souvenez-vous qu'avec le talent et la clairvoyance que vous possédez vous ne pouvez que réussir dans vos démarches. La bonne porte s'ouvrira bientôt. Votre foi et votre vaillance seront récompensées. Accrochez-vous à vos rêves et à l'espoir d'un lendemain meilleur. Que votre horizon conserve toujours ses couleurs lumineuses afin de sans cesse ensoleiller votre vie.

- Achetez-lui un livre sur la confiance en soi, la réussite... Consultez la liste que nous vous proposons en annexe.

- Les personnes en recherche d'emploi ont besoin d'un peu de distraction. Offrez-lui un roman policier, une place pour un film au cinéma, pour une soirée à un spectacle...

- Enregistrez sur une cassette un message de réconfort, d'encouragement et de soutien qui pourrait provenir de la petite voix de la personne à qui vous adressez cette lettre. Composez votre message en fonction de ce que vit votre correspondant(e) et de ses attentes. Inscrivez cette remarque: "Votre petite voix ne se trompe pas".

Pour une personne qui ne parvient pas à se trouver un emploi

Me permettez-vous de vous raconter la légende du pommier “Esperato”? La voici. Il y a bien longtemps, un homme avait planté des graines pour avoir un pommier. Il a attendu, espéré, guetté... Rien! Il soupçonnait la qualité médiocre de la terre ou un ensoleillement insuffisant. Il les a alors changées de place. Vainement. Il courait d'un endroit à l'autre et recherchait un coin idéal pour la croissance de son futur arbre. Sans résultat. Le découragement est venu assombrir l'énergie de ce brave monsieur. Depuis, il a refusé de poursuivre plus loin ses recherches géographiques et donc de croire qu'il pourrait un jour cueillir ses propres pommes. Pourtant un matin, oh surprise, il l'a vu! Ce n'était pas un mirage. Un jeune pommier lui faisait face. C'était bien le sien. Celui pour lequel il avait effectué tant de démarches et avait tant espéré.

Vous possédez vous aussi de belles qualités qui vous combleront de leurs généreux fruits. Actuellement, vous essuyez beaucoup de refus de divers côtés, mais ne relâchez surtout pas vos efforts. Tous les éléments favorables pour votre réussite s'uniront bientôt de concert afin de vous récompenser. Gardez confiance en l'avenir. Les choses évoluent toujours avec le temps et surtout avec la foi. Laissez se répandre l'espoir tout autour de vous et en vous. Je vous adresse des corbeilles remplies d'encouragements.

Bon courage!

- Adressez-lui une ou plusieurs pommes, soit des vraies ou des imitations et ajoutez cette note: "Le fruit des efforts arrive toujours sans crier gare. Soyez prêt(e) en tout temps".

- Il existe des paniers en osier de forme et de prix très variés. Achetez-en un et enveloppez-le. Inscrivez ce commentaire: "Surprise! Il vous sera indispensable pour vos prochaines récoltes".

- Envoyez-lui des graines d'un arbre fruitier et écrivez cette remarque: "Continuez à semer".

Pour une personne dont un proche a perdu son emploi

La fin des années vingt fut marquée par une crise économique spectaculaire. Peu de pays furent épargnés. Un homme qui avait vécu ce douloureux chaos rapportait que le plus difficile pour beaucoup avait été la perte de leur emploi. Il ajoutait que l'entourage de ces infortunés en avait également été fort affecté. Lui par exemple, avait ressenti beaucoup de culpabilité car il ne parvenait plus à subvenir aux besoins minimums de sa famille. Il se dévalorisait petit à petit. Toutes ses démarches demeuraient infructueuses. L'insécurité du lendemain lui avait presque dérobé sa confiance. Il expliquait qu'il avait surmonté ce séisme social grâce à l'appui et au réconfort constant des siens.

Ce genre d'imprévu professionnel est souvent vécu comme un deuil. Il faut se séparer d'un milieu qui est important, ce qui provoque souvent des changements dans l'humeur, dans l'enthousiasme et dans les comportements. Si cette situation est pénible pour la personne directement concernée, elle l'est également pour ses proches.

Vous aussi êtes touché(e) par cet arrêt de travail. Non seulement vous devez faire face à l'angoisse, à la crainte du lendemain et aux soucis financiers, mais en plus, vous devez supporter tous les symptômes de cet(te) autre qui est la principale victime de ce bouleversement. Certes, le réconfort et le positivisme que vous lui apporterez seront bénéfiques mais vous ne devez surtout pas tout prendre sur vos épaules. Pensez à vous. Ménagez-vous des espaces temps pour vous aérer loin de toute atmosphère assombrie et monochrome. Utilisez en priorité votre courage pour vous-même, afin de vous protéger et de ne pas vous laisser aspirer par cette situation. N'oubliez pas que plus vous parviendrez à vous ressourcer, plus vous dispenserez de bonnes énergies autour de vous.

Toute brume de peur recouvre d'infinis champs de certitude. Soyez le soleil au zénith pour faire disparaître ce léger brouillard.

- Offrez-lui un aliment *(fruit, sauce, légumes...)* d'un pays exotique et inscrivez ce commentaire: "Il est gorgé du soleil et de l'enthousiasme des habitants de *(pays d'où vient la denrée)*. Croquez-le à pleines dents pour bénéficier de ses vertus".

- Si la personne a un bon sens de l'humour, vous pourriez lui adresser des références de "masseuses-masseurs" découpées dans un journal. Écrivez ceci: "Il paraît qu'ils sont tous excellents. Vous m'en donnerez des nouvelles si vous tentez cette expérience de l'abandon total!"

- Vous pourriez lui offrir une bouteille de bon vin et noter cette remarque: "Laissez-vous griser avec modération. C'est excellent pour le moral à l'occasion!"

Pour un enfant dont l'un des parents vient de perdre son emploi

Les animaux sont extraordinaires. Tu as certainement déjà dû le constater. Cette remarque est aussi bien valable pour les petites bêtes que pour les grosses. Par exemple, si les fourmis ont une organisation surprenante, à l'extrême, les ours sont également impressionnants, de par leur taille, leur vaillance et leur courage. Les mâles, qui ont la responsabilité d'une famille, sont prêts à tout pour assumer leur paternité. Même blessés, ils parviennent à s'occuper de leurs oursons. Ils sont réputés pour leur force, leur robustesse, leur ruse et leur sagesse. Leurs responsabilités leur tiennent tellement à coeur qu'ils perdraient honneur et dignité s'ils ne réussissaient pas à les assumer. Je suis persuadé(e) que l'amour et la tendresse que leur portent leurs proches sont des facteurs déterminants pour leur constante énergie, même dans les périodes les plus difficiles.

Ta maman/ton papa a certainement beaucoup de peine à cause de la perte de son emploi. Je suis assuré(e) que tu es celle/celui qui peut la/le réconforter. Il suffit parfois de peu de choses pour donner de la joie aux autres. Et toi, tu es un as dans ce domaine.

Ne crains rien surtout et fais-lui une entière confiance. Elle/il possède toutes les merveilleuses qualités de l'ours pour trouver les meilleures solutions. Je te quitte, bel as de coeur, car je sais que des personnes t'attendent pour recevoir ton amour.

- Joignez-lui un ours en peluche et ajoutez cette note que vous glisserez autour de son cou: "Si tu m'adoptes comme ami, tu verras que nous passerons du bon temps ensemble".

- Accrochez un as de coeur à cette lettre et inscrivez cette remarque: "Cette carte te ressemble tellement!"

- Offrez-lui un livre pour enfants qui raconte l'histoire d'un animal très courageux. Nous avons essayé d'en répertorier mais ils sont si nombreux que nous vous conseillons d'aller 'fouiller' dans votre librairie habituelle.

Pour une personne inactive

Les journées sont trop courtes lorsque nous avons mille occupations mais elles sont extrêmement longues dans le cas contraire. L'inactivité est parfois mauvaise car elle ouvre la voie aux pensées négatives. Ce sont dans de tels moments que nous revoyons le passé qui nous rendait si heureux. La nostalgie et la tristesse arrivent alors au grand galop. Nostalgie d'une époque que nous idéalisons. Tristesse de ne plus pouvoir y revenir pour retrouver cet 'avant'.

Peut-être est-ce un peu ce que vous ressentez? Vous ne voyez que ce que vous ne parvenez plus à faire aussi bien que lorsque vous étiez en pleine forme. Mais vous oubliez une chose très importante: la force de votre esprit, la grandeur de vos pensées, vos brillantes idées, votre générosité, votre sens des valeurs et votre humour qui sont toujours en vous. Et ils ne vous fausseront jamais compagnie quoi qu'il advienne. Plus nous nous révoltons contre des circonstances hors de notre contrôle et plus la douleur est intense.

Je vous souhaite de parvenir à ne plus lutter contre le sens du vent, de suivre le courant et de faire confiance à la vie. Elle seule sait où vous conduit ce chemin. L'Univers qui nous aime tous d'une façon inconditionnelle est là pour nous guider.

Je vous envoie des wagons de lumière afin qu'ils vous aident à chasser ces comportements rebelles qui épuisent toutes vos énergies. Que le calme revienne vous habiter et qu'il vous comble de paix.

- Adressez-lui un wagon pour lui rappeler la conclusion de votre lettre.

- Envoyez-lui un sac à aspirateur et inscrivez ceci: "Pour aspirer toutes vos idées sombres".

- Offrez-lui un casse-tête ou un jeu de patience et notez ce commentaire: "Pour éviter l'inactivité!"

Pour une personne qui a des problèmes d'argent

Nous avons tous une bonne dose d'orgueil et de fierté. La polémique pour savoir si cela correspond à des défauts ou à des qualités existe depuis longtemps. Qu'importe. Il est capital de les utiliser à bon escient. Ils devraient nous aider à cheminer et non à ralentir nos pas.

Parfois, certaines situations engendrent un sentiment d'humiliation et d'atteinte à l'estime personnelle. Que vont penser les autres de ce que nous sommes devenus? À mon avis, la question serait plutôt de savoir comment nous nous sentons nous-mêmes. Rien ni personne ne peut nous enlever nos multiples forces et talents. Nous les conserverons toujours, quoi qu'il advienne.

Mon regard pour vous n'est en rien changé ou modifié à cause de ce que vous traversez. Si certains n'ont pas cette attitude à votre égard, c'est parce qu'ils n'ont pas la chance de bien vous connaître. La grandeur ne se reflète pas seulement dans un miroir, elle irradie aussi l'âme. Permettez que je déroule le tapis rouge sous vos pas afin de rendre hommage à la vôtre, à votre force de caractère et à votre courage.

- Achetez-lui quelque chose de couleur rouge *(un bijou, un vêtement, un foulard, des chaussettes, des pantoufles ou autre)* et inscrivez ceci: "Ce sera plus utile qu'un tapis rouge et la signification demeure la même".

- Offrez-lui un livre d'humour ou un objet humoristique et notez cette remarque: "L'humour a toujours été une bonne lunette pour regarder la réalité". Ou "L'humour a des vertus thérapeutiques qui permet de dédramatiser les événements. Abusez-en!"

- Composez la recette du courage en vous inspirant du modèle suivant:

  Prendre une pincée de confiance
  2 cuillerées de force
  une demi-tasse de détermination
  une cuillerée de foi
  un peu de dynamisme
  un soupçon d'humour

  Surveillez le tout attentivement. Vous obtiendrez alors du courage en abondance. Ce plat se conserve tout au long de l'année même en dehors du réfrigérateur!

Pour une personne qui vit avec un strict minimum

Les fêtes de fin d'année sont une période de paix, de réconciliation et de partage. C'est à cette époque que des oeuvres charitables font appel à toute la population au nom des plus démunis. Nous sommes tous portés à être plus proches les uns des autres et également plus sensibles durant ces réjouissances. Comme si cette trêve de Noël nous procurait des lunettes pour prendre conscience des difficultés que rencontrent certains et pour agir afin de les soulager.

Puis le mois de janvier repart d'un nouveau pied. L'euphorie des festivités s'estompe. Les activités normales reprennent et les loupes grossissantes qui nous avaient révélé l'épineuse réalité quotidienne de certains se rangent d'elles-mêmes. Ceux qui sont affectés par de délicates situations financières sont également vite oubliés.

Pourquoi ne pas prolonger cette chaîne humanitaire tout au long des quatre saisons pour que chaque jour apporte des souffles de bonheur à tous?

Je refuse que la Nativité ne devienne qu'une époque spéciale pour adresser de chaleureuses pensées à ceux qui nous sont proches et qui traversent parfois des crises économiques. C'est pourquoi je me permets de venir frapper à votre porte pour vous apporter des voeux de bonheur et de paix, lesquels vous conduiront sur un chemin ensoleillé et réconfortant. Il existe des épisodes heureux pour tous. Tournez les pages de votre livre et sachez les reconnaître. N'oubliez pas que ce sont toujours nos petits espoirs qui font le mieux fleurir nos vastes horizons.

- Si votre relation avec cette personne vous le permet, vous pourriez lui adresser de l'argent, de la nourriture, des fournitures scolaires pour ses enfants si elle en a, des vêtements...

- Faites l'inventaire des centres d'aide de son quartier avec les coordonnées correspondantes et ajoutez ceci: “Eux aussi croient que Noël est une fête de tous les jours”.

- Si vous pensez que la personne serait trop fière à l'idée de recevoir quelque chose, faites parvenir ce que vous lui destinez dans un autre envoi, sans préciser l'expéditeur. Elle sera moins gênée.

Pour une personne qui a de la difficulté à répondre aux besoins matériels des siens

Les saisons se suivent, passent, dansent sous nos yeux, repartent en nous saluant et reviennent toujours. Néanmoins, il arrive qu'elles changent de costume d'une année à l'autre. L'été qui était si brûlant l'an passé nous arrive cette fois avec de fréquentes pluies. La température est moins chaude et il faut se couvrir un peu plus. Il semble bien différent et pourtant il n'en est pas moins notre fidèle ami estival!

Cette période qui vous affecte n'est, elle aussi, que passagère - saisonnière. Les entraves et les tracas que vous croisez sur votre route soulèvent de l'anxiété. Vous vous inquiétez pour votre famille et vous ressentez de la frustration de ne pouvoir lui offrir plus. Je souhaite qu'un nouvel équinoxe ou qu'un autre solstice se fasse une place dans votre quotidien et qu'il apporte avec lui un renouveau bienfaiteur. Vos craintes sont multiples à l'égard du confort des vôtres. Pourtant, la seule peur que vous puissiez éprouver envers eux serait de ne plus savoir les aimer. Or vous, vous débordez d'amour car vous possédez la richesse de l'âme.

- Offrez-lui des tisanes, une bonne musique, un livre humoristique ou tout autre chose dont elle/il se prive actuellement *(il peut simplement s'agir d'une sortie au cinéma)*. Ajoutez cette remarque: "Un peu d'évasion et de douceur sont nécessaires dans la vie de tous les jours".

- Elle/il appréciera sûrement une aide matérielle ou financière et, si elle/il risquait de se vexer, adressez ces 'dons' aux enfants.

- Envoyez-lui une paire de lunettes de soleil et un bonnet de laine ou une écharpe. Inscrivez ce commentaire: "Pour affronter vos saisons!"

Les athlètes ont une grande résistance physique et morale. Ils s'entraînent assidûment, suivent une discipline très stricte et se motivent sans cesse pour se dépasser et se surpasser. Ils n'obtiennent pas de victoire du jour au lendemain. Ils doivent essuyer bien des déboires avant cela. Certains obstacles les font tomber mais ils parviennent toujours à se relever pour affronter d'autres défis. Un véritable sportif convaincu et déterminé, ne baisse jamais les bras face à un mauvais résultat. Au contraire, c'est ce qui lui donne parfois plus de ferveur pour se battre et gagner.

Vous avez vous aussi un côté athlétique. Vous avez franchi plus d'une barrière jusqu'à présent. Je vous l'accorde, vous venez de glisser à un endroit de votre parcours. Cette chute occasionne douleurs et courbatures. Seulement, rien ne vous a jamais arrêté et j'imagine que ce n'est pas maintenant que vous allez vous laisser impressionner.

Tout est possible pour ceux qui croient en leur succès et qui sont prêts à fournir les efforts nécessaires. Vous êtes ce valeureux vainqueur. Puissiez-vous ne jamais l'oublier.

- Achetez ou composez vous-même le signal 'GO' et notez ceci: "Voici le signal pour votre départ. La ligne d'arrivée n'est pas loin puisque vous y croyez déjà. Bonne route". Ou: "Une seule façon vous permettra d'atteindre la ligne d'arrivée. C'est de prendre le départ et de vous orienter vers la bonne direction".

- Envoyez-lui une barre de céréales énergisante ou une boisson que prennent les sportifs. Notez cette remarque: "Un remontant pour retrouver l'énergie des sportifs".

- Adressez-lui du sel ou du sable et inscrivez ce commentaire: "Pour éviter de glisser et de déraper".

Pour une personne qui se sent inférieure ou rejetée

Pendant longtemps, l'histoire de Noé pris dans le déluge m'a beaucoup fait réfléchir. Je me demandais pourquoi il s'était donné tant de peine à embarquer sur son bateau géant toutes les espèces vivantes de la création pour les sauver des eaux. Après tout, certaines étaient si petites, à peine visibles, qu'il aurait pu les laisser au lieu de dépenser ses énergies à courir après elles pour leur porter secours. Je ne suis pas sadique mais réaliste. Nous devons économiser notre temps, surtout lorsqu'il est précieux. Puis j'ai compris sa logique. Ces créatures étaient toutes indispensables pour assurer le bon fonctionnement du monde. Il aurait suffi d'une seule absence, si minime fut-elle, pour que la terre se mette à boiter. Perspective peu réjouissante.

Il en est de même pour nous, les humains. Nous occupons tous une place capitale. Il n'existe personne de mieux ou de moins bien. Nos différences sont nos forces, alors cultivons-les pour qu'elles s'épanouissent encore plus.

Si vous n'êtes pas conscient(e) de toutes les richesses que vous détenez, sachez que ceux qui vous estiment et vous apprécient les ont reconnues.

Que les reflets de vos très grandes valeurs vous illuminent et qu'ils vous encouragent sans cesse à nous dévoiler un peu plus vos secrets trop bien conservés.

- Offrez-lui un casse-tête *(une cinquantaine de pièces)* avec un ou plusieurs morceaux manquants et ajoutez ceci: "L'absence d'un seul élément crée une grande dysharmonie".

- Achetez-lui un livre sur la confiance et l'épanouissement. Consultez notre liste en annexe.

- Prenez plusieurs petits cartons et marquez sur chacun d'eux une qualité de cette personne ou une réussite qu'elle a accomplie. Mettez-les tous dans une enveloppe et écrivez cette remarque: "Vous devriez les sortir à présent, sinon ils vont étouffer".

Pour un enfant victime de racisme

Question facile: Où en es-tu avec tes mathématiques? Es-tu à l'aise avec les additions? As-tu bien saisi que plus nous ajoutons d'éléments positifs et plus le total est élevé? Par exemple, la somme de 9+20+50+100 est 179. Chacun de ces nombres contribue à obtenir ce score. En fait, plus nous ajoutons de nombres, plus nous obtenons un résultat élevé.

Je suis content(e) de constater que tu as bien assimilé ces informations car elles t'aideront énormément à comprendre la vie en général. Comme pour les additions, plus nous avons d'ami(e)s et plus nous sommes riches. Mais sais-tu que plusieurs personnes, petites et grandes, ont encore de la difficulté avec leurs calculs? Elles se privent de s'enrichir en excluant délibérément des hommes et femmes et en refusant de les côtoyer sous divers prétextes. La beauté, la laideur, la grosseur, la taille, les handicaps légers ou importants et la couleur de la peau sont visiblement des raisons à leur comportemens.

Sache *(son prénom)* que tu détiens une place très élevée dans une équation. En effet, tu es une fille/un garçon de coeur, intelligent(e), poli(e), gentil(le), et très attentionné(e). Ta présence ne peut qu'être très recherchée et grandement appréciée. Tant pis pour ceux qui ne sont encore qu'au stade de la maternelle avec leurs mathématiques!

♥ Faites encadrer ou laminer quelques lignes que vous aurez écrites à la main. Exemple: "Tu es vraiment formidable et adorable" ou "9+20+50+100=179". N'oubliez pas de signer.

♥ Achetez-lui une poubelle afin qu'elle/il y dépose tous les mauvais commentaires que lui adressent les autres.

♥ Envoyez-lui un livre illustré sur son pays d'origine et notez ceci: "Tu peux être fière/fier de ce si magnifique pays".

♥ Offrez-lui une calculatrice pour qu'elle/il ne fasse jamais d'erreurs en mathématiques.

Pour un(e) adulte victime de racisme

Avez-vous déjà imaginé ce que deviendrait notre planète si la nature cessait de nous offrir ses diversités? Il n'y aurait plus qu'une espèce d'arbres, de fleurs, d'insectes et d'animaux. Quelle déprime! Nos yeux ne rencontreraient plus que des bouleaux, des iris, des moustiques et des marmottes. Je suis bien persuadé(e) que les hommes des quatre coins du monde s'uniraient pour empêcher qu'un pareil désastre ne survienne.

Pourtant c'est un peu ce que certains humains désireraient pour eux-mêmes. Unifier la race, la couleur de peau et la religion. Hop! Tous dans un même moule. L'ennui serait de taille! Les êtres se ressembleraient à la perfection. Nous serions tous des sosies de nos sosies. Imaginez-vous un peu l'absurdité? Un véritable roman de science-fiction.

Les différences figurent parmi les plus grands trésors de la terre. Certains les utilisent pour s'enrichir et pour créer plus d'harmonie avec ce qui les entoure. D'autres les rejettent malheureusement et préfèrent se composer un décor monochrome, monocorde et 'monotriste'.

Soyez fier(ère) de ce que vous êtes. Continuez à apporter vos nuances à nos toiles de fond pour qu'elles puissent devenir encore plus séduisantes et plus gaies.

- Envoyez-lui la photocopie d'une page de dictionnaire ou d'un livre sur laquelle plusieurs variétés d'oiseaux sont imprimées et écrivez ceci: “Ils sont tous beaux et uniques à leur façon. Quel plaisir de pouvoir admirer leur diversité! Ne trouvez-vous pas?”

- Adressez-lui une photographie en noir et blanc et la même en couleur. Inscrivez que vous préférez nettement voir la vie en couleur!

- Joignez à cette lettre des pommes d'espèces différentes *(granny, golden, mcintosh, boskoop...)* et ajoutez ce commentaire: “Heureusement qu'il y a toutes ces variétés et bien d'autres encore pour flatter nos papilles gustatives”.

Pour une personne victime de racisme dans sa belle-famille

La vie est un trésor inestimable. Le seul véritable chagrin que l'homme puisse avoir est de constater qu'il n'en découvrira seulement qu'une infime partie. Mais le plus triste est de constater que certains se privent volontairement de la faculté de saisir toutes les magnifiques facettes qui les entourent et choisissent délibérément d'en exclure de précieux éléments. Leur existence ne s'en trouve qu'appauvrie. Ces gens sont à plaindre et non à critiquer. Je pense qu'il est indispensable de prendre conscience de tout ce qui s'offre à nous. Personnellement, je me trouve très choyé(e) de vous connaître. Je me sens toujours aussi empli(e) de joie après vous avoir vu(e) ou parlé. Vos grandes valeurs humaines mériteraient d'être mieux connues et appréciées.

Continuez à nous offrir votre fraîcheur et vos différences. Les familles connaissent parfois des désaccords. L'essentiel n'est pas de plaire aux autres mais de conserver l'harmonie qui nous habite. Votre unicité porte les empreintes de votre chair, de votre histoire et de votre futur. Puissent-elles s'épanouir encore plus dans un climat propice, rempli de bien-être et de joie.

- Adressez-lui une bombe désodorisante dont le parfum est très frais et écrivez cette note: "Le parfum qu'elle laisse est comme vous: fleuri et accueillant".

- Collez sur une feuille de couleur ou sur un carton rigide des images de différents habitants de la planète et ajoutez ceci: "... C'est ce qui fait de ce globe, un jardin habité. J.W.von Goethe".

- Recopiez-lui une recette et notez cette remarque: "Pour bien réussir cette recette, il faut bien prendre tous les ingrédients et ne pas en exclure un seul".

Pour une personne qui a des problèmes avec la justice, de façon injustifiée

L'homme est toujours seul, face et avec lui-même. Il n'y a que sa conscience qui le suit dans tous ses faits et gestes. Ce n'est pas toujours évident de se justifier aux yeux des autres.

Vous devinez que je pense à ce que vous vivez en écrivant ces lignes. Toutes ces attaques et accusations vous rendent probablement fébrile. Je suis pourtant persuadé(e) que si la justice des hommes n'est pas toujours exacte, il en existe une qui lui est supérieure et qui finit toujours pas rétablir la vérité.

Mettez vos mains dans celles de votre conscience et suivez-la. Elle prendra soin de vous et vous accordera sa protection. Il se dégage toujours une lumière dans nos horizons et vous n'échappez pas à cette évidence. À mon avis, les nuages se dissiperont bientôt et la lueur réapparaîtra.

Je vous adresse des montagnes de courage et de patience.

- Adressez-lui un cadre dans lequel vous aurez glissé une feuille cartonnée annotée de groupes de mots encourageants *(ayez confiance, vous êtes une personne extraordinaire, la vie ne vous abandonnera pas, vous allez vous en sortir...).*

- Offrez-lui un casse-tête accompagné de cette note: “Distrayez-vous un peu pour vous changer des autres casse-tête”.

- Envoyez-lui une petite poubelle et écrivez cette remarque: “N'hésitez pas à vous en servir. Mettez-y tout ce qui empoisonne votre existence en ce moment”.

Pour une personne qui a des problèmes avec la justice suite à ses comportements

Connaissez-vous l'histoire de Saint-Victime qui avançait sur une route réputée pour ses larges et profonds trous noirs? Ce bon monsieur avait choisi ce chemin parce qu'il était persuadé qu'il n'existait que lui. Évidemment, il tombait dans les fosses au fur et à mesure qu'il marchait. À chaque fois, il se sentait perdu, révolté ou impuissant. Il se répétait que ce n'était pas de sa faute. Avec le temps, il parvenait à sortir de ces sombres gouffres. Il ne comptait plus les blessures lorsqu'il revenait à lui. Un jour pourtant, il a conclu que toutes ces chutes ne dépendaient peut-être que de lui. Cette réflexion lui a donné la force de les éviter et de radicalement changer de route.

Nous avons tous été des Saint-Victime. Certains plus longtemps que d'autres. Et pourtant, nous possédons une boussole pour nous orienter vers une route qui ne cache aucun piège. Je vous souhaite de retrouver le bon point cardinal qui ramènera la paix dans votre coeur et qui éloignera de vous tous sentiments de rancune, de haine, de colère et de vengeance.

Bonne chance et bon succès!

- Offrez-lui un livre sur la connaissance de soi, sur la croissance personnelle, sur la colère et ajoutez cette note: "Peut-être y découvrirez-vous une nouvelle route". Vous pouvez consulter notre liste en annexe.

- Trouvez une colombe en image ou en imitation et écrivez cette remarque: "Que ce symbole de la liberté vous soutienne pour retrouver la vôtre".

- Joignez à ce courrier une boussole et ajoutez cette remarque: "Pour vous aider à trouver celle qui est en vous".

Pour une personne dont un enfant a des problèmes avec la justice

Plusieurs conditions sont indispensables et nécessaires pour que les jeunes plantes se développent sainement. Leur croissance dépend de la terre ou du terreau qui recouvre leurs racines, de leur pot, de leur emplacement, de l'ensoleillement, de l'humidité du sol, de l'air, des engrais, de l'environnement et même de leurs éventuelles voisines. Dans un ordre général, nous remarquons que chaque élément de cette planète est tributaire d'une multitude de facteurs et peut, à cause de cela, être modelé de diverses façons.

L'affligeante et délicate situation que vous traversez actuellement soulève certainement bien des interrogations et des remises en question. Il serait toutefois injuste que vous vous culpabilisiez. Vous avez toujours agi pour le mieux, avec votre coeur et votre amour. Votre enfant ne vit pas sur une île déserte. Aussi, comme nous tous, il fut certainement influencé par plusieurs autres personnes ou situations qui n'étaient malheureusement pas toujours très recommandées et favorables. Ne baissez pas les bras et refusez que de mauvaises idées ne vous envahissent. Ce ne sont que de nocives visiteuses. Croyez en la bonté de votre enfant. Soutenez-la/le. Continuez à lui transmettre votre positivisme, votre foi et votre honnêteté.

- Ajoutez ceci en post-scriptum: "Il suffit de quelques gouttes de lait dans une tasse de thé ou de café pour l'adoucir. Soyez cette 'crème' dans la vie de votre enfant".

- Offrez-lui quelque chose qui soit utile pour les plantes *(un hydromètre, du terreau, des engrais...)* et notez cette remarque: "Continuez à semer avec amour".

- Invitez cette personne à un divertissement quelconque afin qu'elle s'évade un peu du lourd contexte dans lequel elle se trouve. Ce peut être une invitation pour prendre un café chez vous, un repas à partager, une promenade dans un parc, une soirée au cinéma...

Conflits de voisinage

En général, les affinités se développent naturellement et spontanément. Nous ne pouvons pas nous obliger à entretenir de franches relations amicales ou amoureuses avec quiconque, à moins que celles-ci ne soient forcées. Auquel cas, il faut être un très bon acteur pour parvenir à tenir un tel rôle. Tout ceci pour constater qu'il n'est pas envisageable de plaire à tout le monde. Les différences de tempérament, d'éducation, de pensées, d'ouverture d'esprit... sont des facteurs déterminants pour rapprocher ou éloigner les individus.

Dans ce registre, les rapports de voisinage sont parfois source de discorde et de mésentente. Beaucoup d'énergie est gaspillée pour changer l'autre et les résultats sont loin d'être satisfaisants malgré tous les efforts déployés. Ce qui engendre bien souvent des sentiments de frustration, de colère et de ressentiment. Les clés pour parvenir à dépasser ce stade et à instaurer un climat sain sont simples: garder son sang-froid en tout et pour tout, tolérer sans juger et accepter. Et surtout, bien se défendre d'utiliser les mêmes stratagèmes que l'autre. Simple, n'est-ce pas?

Oui. Aussi simple que la réalisation d'un bon gâteau moelleux. Le rapport? Un bon pâtissier ne met que des ingrédients de qualité pour exécuter une recette. Il ne se risquerait surtout pas à y introduire des denrées périmées et altérées car il sait pertinemment que le résultat serait un échec. Il en est de même pour nos rapports avec notre environnement. Les mauvais éléments qui sont apportés de part et d'autre sont néfastes et déplorables. La qualité des échanges dépend donc des éléments que chacun y apporte.

(Prénom de la personne), à vos recettes! Je vous souhaite beaucoup de persévérance et de patience pour parvenir à créer une atmosphère agréable et confortable, tant pour vous que pour les autres.

- Fabriquez-lui une prescription médicale sur laquelle vous aurez tout simplement inscrit: "Évitez la rancune, le ressentiment et les mauvaises pensées. Abusez de sagesse, de souplesse et de sourires".

- Trouvez l'image d'une personne qui sourit et notez ceci: "Voici ce qui permet de soigner bien des maux".

- Adressez-lui des ingrédients frais, utiles pour la cuisine *(farine, cannelle, herbes, sucre...)* et écrivez cette remarque: "Avec cela, vous êtes certain(e) de réussir toutes les recettes que vous trouverez ou que vous inventerez!"

Je m'aperçois que vous vous êtes toujours donné(e) corps et âme dans votre travail. Le fait de vous en séparer vous déchire sans doute moralement et sentimentalement. Mais une nouvelle vie s'offre à vous. Vous allez enfin avoir le temps d'explorer des sentiers qui vous étaient jusqu'alors inconnus. Cette période pourrait devenir propice pour développer un loisir ou une passion que vous n'aviez jamais eu le temps d'exercer jusqu'à présent. La peinture, le chant, les jeux de société, une activité manuelle, spirituelle ou intellectuelle... Il en existe tellement que la mairie de votre quartier saura mieux vous renseigner que moi. De plus en plus de programmes sont organisés afin de créer des réseaux de contacts et d'occupations pour les personnes qui comme vous, sont perspicaces et déterminées à ne pas rester inactives.

Je suis persuadé(e) que vous parviendrez très rapidement à vous découvrir des joies et occupations inédites. Elles vous combleront car elles vous indiqueront que vous avez encore bien des choses à apprendre et à accomplir. La grande chaîne humaine a besoin de vous, de votre expérience et de votre sagesse.

Je vous souhaite de merveilleuses aventures sur les chemins que vous emprunterez. La qualité des moments que vous allez déguster dans l'avenir dépend de votre enthousiasme. N'hésitez pas à vous en enivrer. Il vous permettra de construire pour vous-même et pour votre entourage, proche ou plus éloigné, d'inoubliables souvenirs.

- Collez sur une feuille à part des morceaux de routes, de rues, d'autoroutes, d'avenues... et ajoutez ceci: “Il vous en reste encore tellement à découvrir”.

- Envoyez-lui un livre de contes pour enfants et notez ceci: “Pour retrouver votre coeur d'enfant lors de vos prochaines aventures”.

- Recueillez différentes coordonnées de cours ou clubs destinés aux personnes qui prennent leur retraite *(peinture, chant, sculpture, couture, cuisine, yoga, quille...)* et adressez-les lui avec votre courrier.

L'organisateur principal d'une exposition de trains miniatures qui commentait ce rassemblement trouvait de grandes ressemblances entre ces objets et l'homme. Les convois ferroviaires connaissent d'exaltantes périodes durant lesquelles ils sont au maximum de leur activité. Certains roulent plus d'heures que les normes et leur système d'alarme se déclenche automatiquement. Leurs défectuosités physiques sont si importantes qu'ils cessent obligatoirement leur service pendant une période indéterminée. Ils demeurent à quai le temps des vérifications et réparations nécessaires. Ils se retrouvent donc très isolés de leurs semblables qui eux, continuent leur parcours. Pourtant, suite à cette période de consolidation, ils repartent avec encore plus de ferveur qu'auparavant. Ce repos leur permet même d'avoir une qualité de roulement sur les rails nettement supérieure à l'ancienne.

Votre locomotive a parcouru tellement de kilomètres qu'elle mérite bien de marquer une pause afin de reprendre son souffle. La contraindre à poursuivre son rythme endiablé serait périlleux. Il est important d'accepter cet arrêt fonctionnel, pour vous ressourcer et pour découvrir un nouveau tempo de croisière.

De la part d'un wagon qui vous apprécie beaucoup et qui vous envoie quelques morceaux de rails de soleil.

- Offrez-lui une locomotive miniature avec cette note: “Plus vous la ménagerez et plus elle roulera loin, sans se fatiguer”.

- Joignez à ce courrier un petit colis dans lequel vous aurez rassemblé des aliments énergisants et réputés pour leurs qualités nutritives: germes de blé, chocolat, amandes, fruits secs, jus de fruits, café de céréales... Inscrivez ce commentaire: “Prenez bien soin de vous. D'un wagon bien intentionné à un autre”.

- Composez-lui un bon gratuit pour une vidange ou envoyez-lui un litre d'huile pour moteur et écrivez cette remarque: “Il faut entretenir la mécanique régulièrement et ne pas attendre les premiers signes de fatigue”.

Pour une personne épuisée ou déprimée

Certaines anciennes balances sont magnifiques. Ce sont presque des oeuvres d'art en raison de leur finition si délicate et raffinée. C'est pourquoi elles demeurent si fragiles. Il suffit de peu de chose pour que les plateaux s'affaissent ou s'élèvent et que l'équilibre se rompe.

Vous aussi avez plusieurs supports qui sont très sensibles et qui peuvent facilement se dérégler s'ils sont surchargés. En ce moment, l'un d'entre eux est particulièrement alourdi. Ce qui engendre de l'inquiétude et de l'insécurité. Il serait bon de trouver des moyens pertinents à apporter sur les autres afin de ramener le niveau à l'horizontal ou encore mieux, à un niveau positif. Vous retrouverez ainsi le calme dans votre existence. Vous possédez plus d'une corde à votre arc. Je suis convaincu(e) qu'après réflexion vous allez parvenir à définir quelles sont les solutions qui ramèneront le tout à la normale. Faites appel à toutes les lumineuses idées que vous possédez. Elles voleront à votre secours.

Que votre détermination et votre courage soient des sources d'aide et de soutien pour les jours à venir.

- Adressez-lui une boîte d'ampoules et notez ceci: "Pour vous aider à rallumer toutes vos idées lumineuses".

- Envoyez-lui une boîte remplie de bonbons ou de chocolats et inscrivez ce commentaire: "Un peu de poids pour faire pencher la balance du bon côté".

- Faites-lui parvenir un niveau et écrivez cette remarque: "Assurez-vous surtout de ramener le niveau à l'horizontal".

Pour une personne dont un(e) proche est épuisé(e) ou déprimé(e)

Le brouillard est traître et dangereux. Il surprend même les automobilistes les plus avertis et cause parfois de dangereux accidents. Pester contre lui ne le fera pas partir pour autant. Il faut s'équiper pour le traverser. Certains conducteurs sont brusquement envahis par ces nappes floues et se retrouvent perdus, sans carte ni boussole. Ils souhaitent retrouver leur chemin mais leurs S.O.S. ne sont pas toujours assez forts pour parvenir jusqu'aux équipes de secours.

D'autres ne le voient pas venir et se retrouvent le nez contre un arbre. Il y en a qui savent qu'ils devraient s'arrêter pour demander de l'aide afin de ne pas subir les méfaits de cette instabilité mais ils refusent de s'écouter et poursuivent leur parcours. Les résultats ne sont pas très gais. C'est pourquoi il est important qu'il y en ait qui soient, au contraire, prévoyants et prêts à en dépanner d'autres.

C'est votre cas. Vous avez même pensé à installer de puissants phares et à vous munir d'une paire en double au cas où vous rencontreriez un jour quelqu'un qui aurait des difficultés et qui serait arrêté sur le côté, désemparé, découragé et seul. Voici l'occasion d'utiliser ces lumières pour qu'elles éclairent cette personne qui souffre moralement et mentalement. Vous avez tant de joie, de soutien, de compréhension et d'affection à apporter que vous parviendrez même à faire pousser des fleurs sur son toit de voiture!

N'oubliez pas cependant de mettre suffisamment de piles de rechange dans votre coffre. Elles pourraient s'avérer utiles!

- Joignez-lui une invitation quelconque, ne serait-ce qu'une proposition de promenade dans sa rue, mais uniquement pour elle/lui. Les aidants ont besoin de beaucoup de répit. Inscrivez ceci: "Invitation pour recharger vos batteries".

- Offrez-lui une gâterie à boire ou à manger *(chocolat, pâtisserie, tisane fine...)* et écrivez ceci: "On dit que *(nommer le produit choisi)* contient des propriétés immunisantes contre tous les virus, aussi bien ceux du coeur que de l'esprit. J'ai pensé que vous pourriez en avoir besoin".

- Envoyez-lui une lampe de poche et notez ceci: "Au cas où vos phares deviendraient capricieux!"

Pour une rupture amoureuse

L'amour a inspiré bien des écrivains et il ne cesse encore de faire couler de l'encre. L'amour passion, l'amour coup de foudre, l'amour rencontre, l'amour inattendu. Que c'est beau. Merveilleux. Un rêve sur un nuage de tendresse. Pourtant, le cumulus crève parfois et toute la magie se disperse en fines gouttelettes sans que nous ne puissions faire quoi que ce soit. Le coeur entouré de pansements, nous repartons plus loin avec le souvenir de cet(te) autre que nous avions eu le temps de graver dans nos songes. La fissure que nous ressentons nous apparaît inguérissable. Elle le sera en effet si nous décidons de fermer tous nos stores et rideaux dans le seul but de nous isoler et de nous replier sur ces maux sentimentaux.

Laissez venir la lumière jusqu'à vous pour qu'elle puisse soigner vos plaies. La convalescence de votre âme est une étape nécessaire pour repartir d'un bon pied. Vous reprendrez ensuite votre route avec l'impression que cette expérience vous aura fait grandir. Mais vous avez le droit d'en douter pour le moment.

Ouvrez votre fenêtre. Voyez-vous ces petites notes de musique qui dansent gaiement? Elles annoncent un événement heureux. Car il est bien évident que la folie des tropiques fait toujours suite à la grisaille! Même si vous n'êtes pas encore prêt(e) à admirer leur numéro au complet, ne restez pas totalement indifférent(e) à leurs efforts.

Soyez à votre tour un artiste qui puisera son inspiration dans la grâce de ses plus nobles sentiments.

- Adressez-lui deux photographies. L'une montrant un ciel nuageux et l'autre un ciel ensoleillé. Notez ceci: "Les deux semblent bien différentes et pourtant il s'agit toujours du même ciel".

- Offrez-lui une boîte genre coffre à bijoux et inscrivez ceci: "Il ne vous reste plus qu'à y ranger les précieux trésors recueillis au fil des ans. Ainsi, ils demeureront toujours proches de vous".

- Fabriquez-lui un genre de prescription médicale. Vous pouvez vous inspirer du modèle suivant:

  Ne pas demeurer trop seul(e) à revivre des souvenirs

  Ne pas s'isoler

  Prendre l'air

  Éviter de se culpabiliser ou de se dévaloriser

  Surtout, oui surtout, soyez assuré(e) de la fidélité de vos ami(e)s.

Pour une personne qui vient de rompre avec quelqu'un

De nouvelles idées d'aménagement intérieur nous incitent parfois à changer le nôtre. Le rideau que nous aimions tant et qui est encore splendide ne nous cause plus autant d'agrément. Il semble ne plus correspondre à nos goûts et appartient déjà à une autre époque en quelque sorte. La disposition des meubles aurait besoin d'être modifiée. Elle ne nous fournit plus la même impression de confort qu'avant. Impossible de trouver le pourquoi du comment. Le fait est que nous ne trouvons plus d'enthousiasme à vivre dans ce décor, pourtant si plaisant autrefois.

Des transformations similaires s'opèrent parfois dans nos amitiés. Un changement ou une évolution apparaît sans que son impact ait éveillé notre méfiance. Nous pressentons que nos sentiments se transforment et qu'une restructuration de notre environnement social est nécessaire et indispensable. Inutile de chercher le ou les responsables de ces aspirations ou de faire fi de nos souhaits et intuitions qui nous incitent à nouer de nouvelles relations. Les expériences que nous découvrirons ne seront qu'enrichissantes.

L'attitude salutaire recommandée est de se respecter soi-même et de s'ouvrir à cette sage petite voix qui nous conseille. En acceptant de suivre la trajectoire que la vie vous trace, vous ne pourrez qu'aboutir à bon port.

Paix et amitié!

- Trouvez des photographies qui représentent les différents stades d'une construction *(maison, oeuvre, grossesse)* ou d'une rénovation *(peinture*) et adressez-les à cette personne en ajoutant cette note: “Lorsque l'on a le courage et la force de traverser chacune des étapes, on ne peut qu'arriver satisfait à destination, et ce, même si certaines paraissent plus pénibles que d'autres”.

- Composez-lui une petite carte routière avec un panneau indicateur nommé “sagesse” à la fin du parcours. Dessinez d'autres pancartes de signalisation tout au long de ce trajet sur lesquelles vous aurez écrit des mots positifs.

- Envoyez-lui un album de photographies et inscrivez ce commentaire: “Pour y mettre vos futures expériences”.

Pour une personne qui vient de divorcer

La mer a de multiples charmes qui sont presque ensorcelants. Elle est sans âge. Son histoire est riche de tumulte, de bonheur, de calme et de tourmente. Prise dans les voiles du vent, elle se déchaîne soudainement. Chagrin d'amour? Fin d'une grande passion? Elle a tellement souffert et pleuré qu'elle jure à qui veut l'entendre qu'elle a enfermé ses sentiments dans une grotte marine.

Pourtant, un beau matin le soleil scintille sur sa robe bleue et ses vagues retournent se reposer. Son sourire éblouit de nouveau les bateaux. La naissance d'une autre flamme? Et les saisons passent et les jours défilent sans se ressembler. Elle a compris depuis la nuit des temps que s'épuiser à aimer est un regain de force et que chaque bourrasque qui s'endort laisse la place à un autre arc-en-ciel.

Actuellement, votre océan est lui aussi très éprouvé. Il se cogne contre des bancs de rochers et le ressac l'empêche de voir dans le lointain. Mettez-vous à l'abri en attendant que cet orage s'apaise. L'accalmie reviendra avec ses parfums de douceur et de tendresse.

Puissiez-vous trouver une plage de sable fin pour y déposer les cendres de cet amour et également pour sentir des souffles de paix afin de continuer votre traversée.

- Offrez-lui une bouteille avec du sable de plage, si vous le pouvez bien sûr, et ajoutez cette note: "Même si ce n'est pas une plage de sable fin, vous pouvez tout de même y déposer vos cendres".

- Trouvez l'image d'un arc-en-ciel ou dessinez-en un. Vous pouvez utiliser les sept couleurs que la tradition populaire reconnaît. Soit le rouge, l'orangé, le jaune, le vert, le bleu, l'indigo et le violet. Écrivez ceci: "Un autre arc-en-ciel passera sûrement bientôt dans votre vie. Guettez-le".

- Achetez-lui un chandelier ou des bougies et écrivez cette remarque: "Pour vos prochains dîners romantiques à la chandelle".

Nous possédons tous des lunettes avec deux lentilles. L'une d'elles ne prend que des photographies tristes et désolées, pessimistes et ternes. Elle n'est là que pour nous rappeler ce que nous ne sommes pas encore parvenus à accomplir ou ce qui nous a tant blessés. L'autre nous montre par contre des scènes plus gaies et optimistes. Elle nous reflète les étapes que nous avons franchies avec succès.

Choisissez celle que vous désirez adopter. Vous êtes une personne remarquable et la rupture que vous subissez ne doit en rien venir ternir le chemin que vous avez parcouru jusqu'à présent et celui qui vous attend encore. Retournez au fond de vous afin de retrouver tous vos excellents tirages photographiques. Ne jetez pas entièrement la pellicule de votre union. Conservez précieusement les parties heureuses ainsi que les conclusions que vous en tirez et qui vous aideront à avancer avec encore plus de confiance. À quoi cela vous servirait-il de vous embarrasser de celles qui sont floues et obscures? Telle est la philosophie des talentueux photographes.

Rappelez-vous que les expériences ne sont jamais entièrement mauvaises. Elles nous apprennent toujours quelque chose même si elles sont accompagnées de douleur morale et de souffrance du coeur.

Allez explorer le monde, pour vous, pour vos collections de films et pour vos sentiments qui ne demandent qu'à poursuivre leur route.

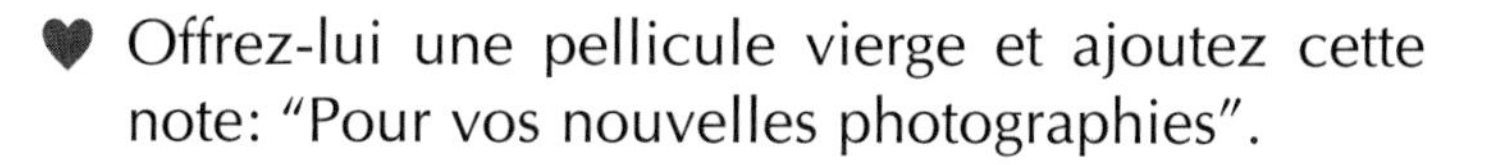

- Offrez-lui une pellicule vierge et ajoutez cette note: “Pour vos nouvelles photographies”.

- Adressez-lui un album de photographies afin qu'il y conserve ses meilleurs souvenirs.

- Achetez-lui un produit pour nettoyer les lentilles ou lunettes et écrivez cette remarque: “Très utile pour enlever le brouillard qui empêche d'avoir une bonne vision”.

Un professeur de philosophie qui un jour s'apprêtait à effectuer la démonstration d'un test devant un groupe d'élèves, précisa que plusieurs seraient agréablement surpris des réusltats après l'avoir essayé pour eux-mêmes. Il s'était placé face au miroir qu'il avait apporté et devait raconter à voix haute ce qu'il voyait. Comme il l'expliquait au départ, l'envie de rire était très forte durant les premières minutes. Puis au fur et à mesure, il parvenait à décrire son image.

Si vous le faisiez personnellement, vous y découvririez une femme qui vit une peine sentimentale et qui se sent très secouée par diverses émotions. Pourtant, si vous poussiez plus loin vos investigations, vous apercevriez dans la glace une femme rayonnante, pleine de joie et qui croit en l'amour. Son tempérament est très agréable. Son pouvoir de séduction est plus important qu'elle ne l'imagine. Elle possède la beauté, l'intelligence, la douceur, la passion et le sens du partage. Et ce n'est pas une illusion d'optique. Elle a la capacité de changer cet éclairage qui l'empêche actuellement de bien distinguer toute la ferveur qui l'habite.

Prenez soin de votre sourire. Ne le froissez pas trop car il serait difficile de trouver un fer à repasser adéquat! Accordez-vous du temps pour lisser vos ailes avant de repartir vers une envolée encore plus fantastique que celles que vous avez connues.

- La plupart des étuis à rouge à lèvres possèdent un miroir miniature. Offrez-lui en un et glissez une note à l'intérieur sur laquelle vous aurez pris soin de retranscrire toutes les qualités citées dans la lettre. Ajoutez également ceci: "Regardez-vous plus souvent et surtout, lisez bien l'aide-mémoire qui vous est destiné".

- Joignez une paire de lunettes ou une vieille monture et inscrivez cette remarque: "Pour vous aider à voir plus clair. De la part d'un ophtalmologiste junior".

- Adressez-lui un bijou de fantaisie ou tout autre objet qui soit très féminin. Notez ce commentaire: "Pour augmenter dangereusement votre grand pouvoir de séduction".

Pour une personne qui divorce et qui l'accepte mal

L'amitié et l'amour sont deux beautés que nous voudrions éterniser tant elles sont confortables et resplendissantes. Elles nous comblent et nous transportent de joie. Nous n'envisageons jamais de rupture ni de chaos. Impossible. Pas pour de si solides relations.

Il arrive pourtant parfois que les protagonistes deviennent des antagonistes. Les causes sont diverses et pas toujours claires et justifiées. Mais qu'importe, le résultat demeure le même: il faut faire un deuil, amical ou sentimental. Les concernés qui se situaient à une certaine époque sur un même méridien, se retrouvent petit à petit sur des chemins divergents. Inutile de s'évertuer à faire croiser des routes qui sont parallèles. Ces vains efforts ne seraient que des sources d'épuisement pour nos énergies. La solution est simple et si épineuse à la fois: accepter et faire confiance.

Votre déception est encore très exacerbée. Cette séparation n'est nullement un échec. L'échec n'existe pas. C'est l'homme qui applique ce terme à des situations. Nous ne devrions retenir de nos expériences que leur enseignement. Quelle serait l'utilité de s'encombrer de phases négatives, sombres et obscures?

Une nouvelle énergie vous transportera sûrement vers des destinations insoupçonnées. Conservez la confiance dans vos lendemains, dans vos espoirs et dans ce renouveau qui vous propulsera loin de toute nostalgie.

L'amour est partout. Il vous tend les bras à travers un simple arc-en-ciel, des gouttes de rosée, des sourires inconnus et des senteurs matinales. Cueillez-le au fil des jours afin qu'il vous conduise au-delà de ce que vous aviez imaginé.

- Envoyez-lui une télécommande que vous n'utilisez plus ou dessinez-en une et écrivez ce commentaire: "À vous de contrôler ce que vous écoutez et ce qui défile dans votre tête".

- Adressez-lui une tablette de chocolat fin et notez ceci: "Je ne vous l'adresse pas pour ses vertus aphrodisiaques mais pour la douceur qu'il vous procurera. Prenez le temps de savourer chaque morceau".

- Offrez-lui une plante grasse avec de belles feuilles vertes. Inscrivez cette remarque: "Une énergie nouvelle pour vous redonner de l'espoir".

Pour une personne dont le divorce se déroule mal

L'indifférence nous blesse parfois. Ce sentiment neutre est pourtant celui qui engendre le moins de complications. L'amour, par exemple, peut se tordre jusqu'à se transformer en haine.

Vous n'en êtes peut-être pas à ce stade, néanmoins cette mini-guerre de couple vous déçoit. Entrer dans ce cercle de conflits serait faire une place aux mauvaises répliques. Soyez l'actrice/l'acteur qui remportera le trophée de la distinction. Conservez votre rôle de pacifiste et ne vous laissez pas influencer par la rancune et le ressentiment sinon ils nuiraient grandement à votre présence sur scène. Ils vous empêcheraient de vous concentrer et de demeurer vous-même. Répétez cent mille fois s'il le faut jusqu'à ce que vous sentiez que chaque mot coule comme un ruisseau calme qui transporte sur ses flots la bonté et la grandeur d'esprit.

Puissiez-vous trouver en vous les fleurs du bonheur. Un lys pour sourire, un oeillet pour rêver et une rose pour aimer.

- Ajoutez à votre envoi une fleur, soit naturelle ou une imitation, et inscrivez ceci: "Voici une autre fleur pour l'amitié".

- Offrez-lui un trophée ou une médaille afin de la/le féliciter pour son courage avec lequel elle/il assume cette rupture.

- Dessinez le drapeau de la Suisse ou trouvez-en un et écrivez cette remarque: "C'est un des rares pays au monde qui soit neutre. La qualité de vie y est excellente. Vive le pacifisme".

Pour un parent dont le divorce se déroule mal

Le ciel est d'une extraordinaire fidélité. Chaque matin, il essaie de nous offrir le meilleur de lui-même pour nous encourager en ce début de journée. Il semble nous transmettre des messages, tantôt pour nous complimenter ou nous soutenir, tantôt pour nous aider.

Voici qu'un nouveau paysage apparaît spécialement pour vous. Il vous propose ses grandeurs pour vous inviter à garder confiance et courage en l'avenir au nom de tout cet amour que vous avez créé et que vous conservez précieusement. Préservez ces étincelles qui vous ont toujours supporté(e).

De la part du ciel, je vous adresse une paire d'ailes pour que vous puissiez voler au-dessus de ces conflits qui vous affectent et pour que votre tendresse et votre douceur s'épanouissent, pour vous-même et pour votre chérubin/vos chérubins.

- Offrez-lui une girafe en bois et notez ceci: "Comme cette girafe, vous voyez loin tout en demeurant très présent(e) dans votre réalité. Vous êtes également très pacifiste. L'espace et la liberté font partie de vos quêtes quotidiennes. Tendez toujours le cou pour conserver le bon cap".

- Adressez-lui un modèle de tricot très raffiné et une pelote de laine et notez ceci: "Nous ne pourrions jamais imaginer que de simples pelotes de laine puissent donner de si beaux résultats. Il suffit parfois de peu de choses pour accomplir des merveilles. Je vous souhaite d'en créer des multitudes".

- Achetez-lui un jeu de société qui puisse également convenir à son/ses enfant(s) et écrivez cette remarque: "Pour un peu de détente en famille".

Pour une personne divorcée qui doit se battre pour la garde de ses enfants

Certains sont capables de défoncer des murs et de déplacer des montagnes pour protéger leur amour. De véritables bulldozers! Ils sont très attachés à cette grande affection qu'ils ont construite, développée et nourrie au fil des années.

Cette description vous va comme un gant. Je me demande parfois où vous trouvez autant de force et d'énergie pour conserver ce moral d'acier tout en continuant à vous battre pour défendre votre cause.

Je ne peux rien changer à votre place. Par contre, je souhaite vous apporter mon soutien affectif. Si vous me le permettez, je serai à vos côtés lorsque vous passerez des étapes un peu plus houleuses. Sachez que les qualités que vous possédez sont si variées, complémentaires et impressionnantes que rien ne s'opposerait à votre détermination bien longtemps.

Je termine ce courrier par des répétitions de "BRAVO"! Bravo pour votre dynamisme et pour votre très grand sens des responsabilités. Que vos enfants soient pour vous une source de bonheur autant que vous l'êtes pour eux.

- Fabriquez-lui un cadre avec sa photographie et son prénom au centre entouré(e) de personnes qui lui sont proches et qui la soutiennent *(leur portrait et leur prénom écrit*). Ajoutez ceci: "J'ai pensé rassembler l'équipe de vos supporters. Nous sommes tous là pour vous appuyer". Si vous n'avez pas de photographie, inscrivez simplement les prénoms.

- Offrez-lui un carnet d'adresses en y mettant vos coordonnées à la lettre "A" comme affection, "P" pour parler et "E" pour encouragements à recevoir. Mettez une note explicative pour lui indiquer ces particularités.

- Adressez-lui des épinards frais et inscrivez cette remarque: "Ce doit sûrement être cela votre secret pour être aussi énergique".

- Achetez-lui un morceau de tissu, un foulard ou un ruban jaune et écrivez cette phrase explicative: "Un peu de soutien ensoleillé pour le moral".

Pour un parent qui divorce à l'amiable

Le chemin le plus long et le plus escarpé est celui que nous prenons à contrecoeur. Nous avançons contre notre gré sans éprouver une once de plaisir ou de satisfaction. Que faire? Certains se plaignent sans cesse mais n'osent pas changer. D'autres bifurquent et parviennent enfin à trouver la voie qui leur convient et qui leur offre l'épanouissement. Ils continuent à y semer leurs pépites d'or sans oublier pour autant celles qu'ils avaient déjà déposées sur les autres routes. Ils retournent les voir le plus souvent possible pour vérifier si elles brillent toujours autant. Ils les caressent avec passion et attachement.

Vous avez eu la hardiesse de changer d'aiguillage. Quelle force! Allez répandre vos richesses sur ce nouveau parcours. Plus vous resplendirez et plus vos enfants - magnifiques trésors - vous suivront sur cette voie. Votre décision est sage car vous avez su vous écouter et vous respecter. La liberté est la seule histoire qui ne puisse être contée; elle est à vivre. La liberté et l'amour sont tout à fait compatibles. Soyez-en assuré(e).

Que votre complicité avec vos enfants adorés vous apporte joie, encouragement et réconfort. Vous êtes tous liés par cette petite chose que l'on appelle le coeur. Continuez à en prendre soin.

- Offrez-lui le livre “Le chemin le moins fréquenté” de Scott Peck et notez ceci: “ Ce livre vous apportera sûrement soutien et réconfort dans votre cheminement”.

- Achetez-lui un cadre assez grand et ajoutez ce commentaire: “Voici un cadre pour que vous puissiez y mettre votre photographie et celle de vos enfants. Quelle belle équipe!” Précisez que ce cadre est réservé à “L'équipe du Coeur” ou à “L'Équipe du nouveau départ”.

- Recouvrez des balles de ping-pong ou des cailloux avec du papier jaune doré et adressez-les lui avec cette remarque: “Les pépites que vous avez déjà semées sont magnifiques. Les suivantes seront encore plus belles”.

Pour un enfant dont les parents divorcent dans une atmosphère de conflit

Une de mes passions est d'admirer le ciel, le soir, lorsque la température me le permet. Les étoiles qui scintillent me font des clins d'oeil. J'ai été gâté(e) lors de ma dernière observation. Une étoile filante faisait partie du spectacle. Une coutume indienne conseille de penser à une personne que nous aimons beaucoup et de faire un voeu pour elle lorsqu'un tel phénomène se produit. C'est à toi que je l'ai dédié pour que tu puisses connaître beaucoup de bonheur. Je te l'ai offert, à toi qui es si formidable, pour que rien ne vienne t'empêcher de sourire.

Promets-moi de ne jamais croire que les personnes qui t'entourent pourraient un jour cesser de t'aimer. Une telle pensée reviendrait à affirmer en quelque sorte que le ciel et les astres n'existent plus lorsqu'ils sont recouverts par le brouillard et par les nuages. Ils sont toujours présents mais légèrement masqués. Il faut alors attendre que le beau temps revienne pour les retrouver. Cela prend parfois du temps et de la patience pour accepter les variations climatiques.

Je te souhaite des vents favorables et des journées très ensoleillées pour voir fleurir tous les bourgeons que tu auras nourris.

P.S. Si vous craignez que votre lettre soit mal perçue par les parents, demandez leur avis avant de l'envoyer. Par ailleurs, le vocabulaire utilisé dans cette lettre convient davantage à un adolescent. À vous de le modifier pour l'adapter à un enfant plus jeune.

- Les jeunes sont très friands d'expériences. Joignez à cette lettre des graines et rappelez-lui qu'elles grandiront s'il parvient à faire alterner le soleil, la pluie et l'ombre, comme dans sa vie.

- Certains livres sur la vie des jeunes sont excellents. Évitez ceux qui traitent du divorce. Ce choix pourrait être mal accepté par les parents qui traversent cette étape de conflit. Ils se sentiraient "attaqués" malgré vos bonnes intentions. Mieux vaut ménager les susceptibilités délicates.

- Envoyez-lui un thermomètre extérieur et notez ce commentaire: "Le mercure remonte toujours même après une chute".

Pour un enfant dont les parents divorcés restent en bons termes

L'histoire de chaque être commence dès la naissance. L'enfant quitte le ventre de sa mère pour être accueilli par sa famille. Tristesse? Absolument pas. Au contraire. Il quitte son environnement de solitude pour venir se faire cajoler dans des bras douillets. Il lui faudra juste un peu de temps pour s'adapter. Plus tard, il devra affronter les différentes étapes de l'éducation. Les passages dans les classes supérieures, les changements d'écoles et autres seront des bouleversements importants mais nécessaires pour qu'il continue son apprentissage.

Bref, chaque départ ou rupture conduit vers d'autres ouvertures et connaissances. Les aventures que nous expérimentons sont des chances pour nous solidifier et nous enrichir. La sagesse et la force que nous en retirons sont de précieux atouts qui nous soutiennent dans n'importe quelle épreuve.

Il en est de même pour toi. Ton décor familial est en pleine transformation et les conséquences t'affectent directement. Les débuts s'annoncent peut-être un peu fragiles, comme toute nouvelle situation. Mais fais confiance à ceux qui t'aiment, qui t'entourent et également à toi-même. Ce n'est que du mieux-être qui t'attend. Nous ne reculons jamais lorsque nous avançons! Ainsi en est-il pour toi, même en ce moment.

Je te fais mille bises. Préviens-moi s'il en manque une car je compte mal.

- Offrez-lui une plante exotique et ajoutez cette note: "Elle a quitté son pays pour finir son voyage chez toi. Je suis persuadé(e) qu'elle est extrêmement réjouie par tout ce qu'elle a découvert et par tout ce qui l'attend encore. Admire-la pour sa beauté. J'espère qu'elle t'inspirera pour cette nouvelle étape que tu découvriras petit à petit".

- Prenez un petit carton de couleur et laissez-y les empreintes de vos lèvres. Écrivez ce commentaire: "Mille bises fraîches".

- Achetez-lui une affiche ou tableau laminé. Inscrivez cette remarque: "Il te sera peut-être utile si tu décides de changer ta décoration".

Pour un parent dont l'un des enfants divorce

Un poète autrichien avait pour philosophie que tout ce qui se terminait devait être fêté car toute fin annonçait un renouveau. Sa vie ne fut pas tous les jours une partie de plaisir mais il croyait avec conviction qu'une force invisible l'animait et le portait toujours plus haut.

Je ne sais pas si cet homme vous donnait des cours particuliers. Toujours est-il que c'est un peu ce que vous avez enseigné à votre enfant. Croire qu'il y a toujours une autre ligne de départ et qu'avec une pincée de courage et une cuillerée de volonté, il est possible de se relever de n'importe quelle chute et de reprendre son chemin ou un autre encore meilleur. Ce dont il a probablement le plus besoin actuellement, c'est que vous lui répétiez vos sages conseils pour qu'il trouve plus facilement et plus rapidement sa nouvelle direction.

Soyez cette boussole qui lui montrera silencieusement où se situe la bonne direction. Il traversera ainsi des déserts et des océans sans jamais s'égarer.

- Offrez-lui quelque chose qui évoque l'Autriche: un disque compact de J. Strauss ou une revue sur ce pays *(allez dans une agence de voyages)* ou autre. Inscrivez cette phrase: "Pour renouer avec votre professeur autrichien".

- Joignez-lui une boussole et notez ceci: "Pour que vous puissiez continuer à sagement guider ceux qui vous sont chers".

- Adressez-lui une tasse à mesurer et écrivez cette remarque: "Vous trouverez comme toujours la mesure idéale pour distribuer de la volonté".

À un parent dont l'un des enfants divorce et qui a des enfants

L'été est toujours merveilleux. Tenues légères et lunettes de soleil sont de mise. Nous pouvons enfin tout ouvrir en grand. La brise légère passe dans les pièces et nous amène des courants chauds. Mais parfois le temps tourne à l'orage. Le ciel se couvre et le vent qui se lève se prend dans les rideaux et laisse des empreintes de son passage un peu partout dans la maison et sur les parterres.

Il me semble que les familles sont également exposées à ce genre d'intempéries. Tous les membres sont directement concernés lorsqu'un de leurs proches est bouleversé par une situation car ils sont étroitement liés par l'amour.

Votre enfant et vos petits-enfants traversent une période d'instabilité et de souffrance morale. Il est donc normal que cela vous atteigne et que vous vous sentiez affecté(e) par ces douloureuses émotions. Une bourrasque secoue leur équilibre et il leur faut du temps pour parvenir à le regagner. Je suis certain(e) que vous parviendrez à les aider grâce au langage universel: celui du coeur. Vous le possédez à merveille. Votre sagesse et votre assurance seront des éléments clés pour les rassurer.

Que vos phrases réconfortantes résonnent plus fort que les tempêtes qui les assaillent et qu'elles prolongent leur sourire dans leur vie de tous les jours.

- Dessinez des coeurs sur votre papier à lettres afin de lui rappeler le langage universel.

- Trouvez la photographie ou l'image d'un ciel couvert et menaçant et une autre lorsqu'il est ensoleillé. Inscrivez cette note: "Les situations ne demeurent jamais définitives".

- Envoyez-lui un chapeau de pluie transparent et écrivez ceci: "Pour éviter d'être trop arrosé(e) par les nuages qui traversent la famille de *(le prénom de son enfant)* en ce moment".

Pour une personne qui souffre de solitude

Les avis sont très partagés pour suggérer les meilleures façons de rencontrer de nouvelles personnes. Si les cours sont très préconisés, les endroits publics le sont également. Je ne vous apprends rien et je suis même persuadé(e) que vous auriez bien des chapitres à rédiger sur les diverses façons de ne plus être seul(e).

Je vous encourage vivement à poursuivre vos démarches. Il est indéniable qu'il existe également des événements imprévus que nous ne contrôlons pas et qui nous rendent la tâche plus facile. Ce sont les rencontres inattendues. Elles surgissent au coin d'une rue sans que nous ayons même deviné leur ombre. Mais il est indispensable de mettre tous les atouts de votre côté en allant à la rencontre de cette fameuse carte 'chance'.

Deux choses sont à retenir. La première est que vous devez être confiant(e) dans toutes les bonnes surprises que vous réservent vos lendemains. Et la seconde est qu'il vous est interdit de vous décourager et de baisser les bras. Cesser de croire est un premier pas vers le renoncement. Et renoncer, c'est s'avouer vaincu.

Explorez cette phase de solitude pour l'apprivoiser et pour vous en faire une amie. Elle ne vous fera pas la conversation mais elle vous aidera peut-être à vous sentir moins isolé(e).

Mes voeux de succès dans vos entreprises et investigations vous accompagnent.

- Fabriquez-lui la carte suivante en cinq exemplaires afin qu'elle les affiche dans divers endroits pour toujours les avoir en évidence.

  Recette indispensable:

  Règle no 1: Gardez confiance.

  Règle no 2 : Ne jamais abandonner.

  Les ingrédients essentiels sont:

  La détermination, l'audace, l'espoir, la créativité, l'optimisme, l'humour, la persistance, la patience et un peu de chance.

- Adressez-lui une carte postale ou une image humoristique et écrivez ceci: "La vie est différente avec une pointe d'humour".

- Envoyez-lui un petit guide touristique sur la ville où elle demeure. Vous pourrez vous le procurer en appelant au bureau d'informations touristiques de cet endroit. La plupart des gens connaissent en général très mal les lieux touristiques qui les entourent. Ajoutez cette note: "Une multitude de lieux publics vous sont suggérés. Endroits propices pour faire d'agréables rencontres".

Pour une personne qui souffre de solitude

Il existe quatre types de journées. Chacune d'entre elles est similaire à nos saisons. Il y a celles qui prennent leur essence au printemps et qui sont ponctuées par la renaissance, la tendresse, l'amitié et la lumière. La journée qui s'apparente à l'été est empreinte de folie, de rires, de légèreté et d'évasion. Celle qui s'identifie à l'automne marque la transition entre l'exaltation estivale et le sommeil hivernal. Elle est lente et parfois pommelée de tristesse et de nostalgie. Celle qui incarne l'hiver semble figée sur place par la solitude et le repliement.

Vous subissez vous aussi des journées d'hiver. L'isolement qui vous assaille vous fait probablement oublier tous vos moments de bonheur passés et tous ceux qui sont à venir. Vos idées vous donnent même peut-être le vague à l'âme et elles vous répètent à tort que plus personne ne pense à vous. Ah, les coquines! Il est difficile de les faire rire lorsqu'elles décident d'épuiser toutes les larmes de votre corps.

N'oubliez pas que vous avez le grand pouvoir de faire revivre vos printemps, étés et automnes. Ce sont eux qui sont importants dans votre situation. Ils vous rappelleront tous ces instants magiques qui vous faisaient rayonner. Vous avez toujours une place bien au chaud dans le coeur des gens que vous avez rencontrés et conquis. Vous souvenez-vous de tout cet amour et de toute cette sagesse que vous avez prodigués autour de vous? Vous auriez de quoi tenir un lecteur en haleine pendant bien des heures.

Vous êtes une femme très importante pour nous qui vous connaissons. Nous demeurons dans votre quotidien afin que vos journées ne se promènent qu'entre le printemps et l'automne.

- Joignez les images des quatre saisons. Celle du printemps sera au moins trois fois plus grosse que les autres. Vous pouvez les encadrer éventuellement afin que la personne les ait toujours sous les yeux.

- Trouvez-lui un chapeau de paille ou une ombrelle miniature et ajoutez cette note: "Voici un air de printemps pour vous rappeler qu'il est partout".

- Offrez-lui un livre comique ou sur la rigolothérapie. Consultez notre répertoire en annexe. Notez cette remarque: "Le rire est indispensable dans la vie pour se sentir bien. Allez-y, abusez-en!"

- Achetez-lui un disque compact ou une cassette des "Quatre saisons" de Vivaldi.

Pour une personne qui souffre de solitude

Les professionnels de la santé prônent que la pratique régulière d'un sport améliore nettement la qualité de notre quotidien. Il existe de multiples activités qui peuvent satisfaire tous les goûts. Ou presque. Certains optent pour les pratiquer en groupe tandis que d'autres les préfèrent en individuel. Quoi qu'il en soit, le but demeure le même: entretenir son corps et divertir son esprit.

Il me semble que la vie est parfois comme une discipline physique. Nous nous retrouvons avec d'autres personnes ou alors nous sommes, pour diverses circonstances, amenés à connaître beaucoup de moments de solitude. Pour le moment, vous faites partie de la catégorie des solitaires. Mais les situations ne sont jamais établies et immuables. Alors faites confiance à votre bonne étoile. Elle vous permettra de briser l'isolement qui vous affecte actuellement. Aujourd'hui ne ressemble en rien à hier et demain sera si différent du présent qu'il vous surprendra.

Il est très important que vous vous souveniez de tous les liens que vous avez déjà créés dans le passé. Soyez assuré que d'autres sont à venir. Vous êtes un(e) athlète suffisamment en forme pour franchir les difficultés morales du moment sans vous provoquer de déchirures musculaires! Ceux qui vivent seuls sont ensuite des prodiges pour déguster la compagnie. Le meilleur est devant vous. Ne lui tournez surtout pas le dos.

- Offrez-lui une médaille ou un trophée, ou fabriquez-en un(e) et incluez cette note: "Voici une récompense à la/au meilleur(e) des sportifs(ives). Ne lâchez surtout pas votre entraînement!"

- Adressez-lui des numéros de téléphone pour des clubs de marche ou des activités diverses pour l'inciter à rencontrer d'autres personnes.

- Trouvez un objet en forme d'étoile. Il en existe de forme plate, décorative, qui se glisse facilement dans une enveloppe. Ajoutez cette remarque: "Laissez-vous conduire par votre bonne étoile. Elle existe. Et elle est là pour prendre soin de vous."

Pour un(e) adolescent(e) qui traverse une étape de solitude

Le papillon est à la fois un insecte très sociable et solitaire. Je n'invente rien. Je ne fais que répéter ce que j'ai lu dans une revue. Son organisation sociale demeure encore un mystère même si elle semble très au point.

Étrange, je pensais à toi en lisant cet article. Tu n'as pas d'ailes sauf que tu connais bien la solitude et que ton caractère est très souple. Ce n'est pas évident de renverser la vapeur pour changer la situation mais tout est possible. Continue à voler à droite et à gauche afin de découvrir d'autres personnes qui te ressemblent et qui désirent elles aussi construire des amitiés.

Il existe de magnifiques fleurs avec lesquelles il est possible de nouer de solides et enrichissantes amitiés. Quoi qu'il advienne, le papillon aura toujours besoin de son entourage pour survivre et surtout pour profiter pleinement de son existence. Et ce, quelle que soit sa beauté ou son organisation.

Je te souhaite de découvrir et d'explorer tous tes trésors. Sois fière/fier d'eux et n'hésite jamais une seconde à les sortir au grand jour.

- Offrez-lui un joli papillon en image, bijou ou bibelot.

- Achetez-lui un livre sur une personne célèbre qui était très seule. Par exemple Gauguin, Mauriac, Balzac... Et ajoutez ceci: "Cet être extrêmement intelligent était un grand solitaire. Malgré cela, il avait quelques très bons amis qui contribuèrent à enrichir sa vie".

- Adressez-lui un livre ou une revue sur les papillons et inscrivez cette remarque: "Tu verras que je ne mens pas".

Pour un(e) adolescent(e) qui traverse une étape de solitude

En général, les adolescents adorent écouter de la musique. Chacun a ses artistes préférés. L'un d'entre eux est particulièrement célèbre et populaire chez les jeunes auditeurs qui traversent des périodes difficiles. Son répertoire musical est diversifié. En voici quelques extraits: "tu ne vaux rien, tu ne réussiras jamais, personne ne t'aime, tu es un incompris".

L'auteur de cette satanée mélodie est habituellement la dépression. Tu connais? Elle est fort malheureusement trop courante et populaire. Nous l'écoutons inlassablement comme si elle nous était profitable, même si elle nous a blessés à plusieurs reprises. De plus, elle nous amène à modifier notre perception du présent, du futur et du passé.

Heureusement que d'autres options s'offrent aux mélomanes pour satisfaire leurs oreilles. À eux de parvenir à trouver les canaux qui les aideront à profiter au maximum de chacune de leurs minutes.

À toi de jouer pour faire le grand ménage dans tes collections privées.

- Offrez-lui une cassette vierge et inscrivez cette note: "Celle-ci est encore vierge, à toi d'y enregistrer ce qui te rendra heureux".

- Joignez-lui la cassette d'un chanteur ou groupe ou genre musical qu'elle/il aime beaucoup et ajoutez: "N'écoute que ce que tu aimes. Comme ce qui se trouve sur cette cassette".

- Informez-vous auprès de ses parents pour connaître une bonne action qu'elle/il a accomplie ou une réalisation qui lui tenait à coeur et qu'elle/il a effectuée. Sur une feuille à part, ajoutez cette note en vous inspirant du modèle suivant: "Félicitations pour... *(et raconter l'histoire qui la/le valorisera).* Avec de telles qualités, les gens ne peuvent être que très riches de t'avoir dans leurs relations. C'est ainsi que je me sens en t'écrivant ces quelques lignes".

Pour une personne âgée qui souffre de solitude

Nous avons parfois tendance à aller rendre une petite visite à tous les bons moments que nous avons connus autrefois, surtout lorsque nous subissons l'isolement. Nous voudrions réellement regoûter à cette douceur qui nous rendait si heureux(euse). Nous revoyons alors le visage de nos proches et ami(e)s qui nous étaient tous si chers. Ah, nous ne serions plus aussi seul(e) s'ils étaient là!

Les vôtres vous manquent très certainement. Vous pourriez peut-être utiliser cette affection qu'ils vous ont dédiée et qui vous habite encore pour y puiser vaillance et énergie. Ainsi vous adopterez avec plus de facilité cette inévitable solitude et vous trouverez également des moyens pour la dépasser. N'est-ce pas vous qui me confiiez un jour qu'il fallait de l'audace pour parvenir à passer partout sans se briser les reins? Je comprends mieux maintenant le sens de votre réflexion.

À vous qui êtes parvenu(e) à faire des miracles avec votre sourire, à vous qui êtes gravé(e) dans bien des coeurs et mémoires, permettez à tous ceux qui vous connaissent de pouvoir encore profiter de votre beauté et de votre magie.

- Fabriquez-lui un petit album réservé aux souvenirs. Si vous le pouvez, commencez à le compléter. Inscrivez ceci: "Voici un moyen de locomotion pour visiter vos bons souvenirs".

- Trouvez l'image d'un enfant avec une personne âgée et adressez-la lui avec cette remarque: "L'amour est sans âge".

- Envoyez-lui une liste d'activités pour les aînés qui sont disponibles dans la ville où elle demeure. Vous pouvez obtenir ces renseignements par le truchement du bureau d'informations touristiques ou par la mairie de sa municipalité. Ajoutez cette remarque: "Voici quelques idées qui pourraient vous aider à rompre un peu avec votre solitude".

Pour une personne dont un proche doit s'éloigner ou qui est déjà loin

J'étais de passage lorsque j'ai entendu un étrange bruit qui semblait provenir de chez vous. Je veux juste m'assurer que tout va bien. Ce son ressemblait à un coeur qui s'ennuie d'un être cher et qui éprouve des petits pincements de tristesse. Ai-je raison? Est-ce bien le vôtre? Normal.

Ce n'est pas facile de s'adapter à un éloignement. Néanmoins, il ne faut pas oublier que la communication qui s'établit entre des êtres proches se fait même à distance, par une sorte de télépathie affective. Ainsi, plus les vibrations de votre peine sont fortes et évidentes et plus elles risquent d'affecter cet autre, même s'il est loin.

Il y a toujours un coin de printemps qui nous habite et qui prend soin de nous. Promenez-vous dans le vôtre et explorez chaque infime espace de cette douceur printanière. Votre sourire n'en sera que plus beau. Il sera si fort et éblouissant qu'il parviendra à rejoindre cette personne lointaine.

- Joignez-lui une belle image ou une photographie qui représente le dégel au début du printemps et ajoutez cette note: "Le dégel est à vos portes. Le printemps aussi d'ailleurs. Bon courage".

- Envoyez-lui de l'encens. Il existe différents parfums. Notez ceci: "Les parfums ont la vertu de nous enchanter et d'ensoleiller nos journées".

- Offrez-lui du beau papier à lettres et écrivez cette remarque: "Le courrier du coeur a un air de printemps. C'est un excellent moyen de communication pour entretenir les sentiments".

Pour une personne qui doit s'éloigner ou qui est déjà loin

Une cheminée en fonction procure beaucoup de confort, aussi bien dans une maison que dans les coeurs. Car nous en possédons tous une personnelle, et qui plus est, fonctionne à longueur d'année, été comme hiver. Chaque bûche qui crépite est identifiée à une personne que nous affectionnons particulièrement. Un parent, un frère, une soeur, un proche, un(e) ami(e)... Chacune d'entre elles a déposé de précieux souvenirs dans notre âtre. Ils continuent à danser de toutes leurs plus belles flammes sans jamais s'éteindre. Tous ces doux moments qui sont immortalisés dans notre chair nous réchauffent lorsque nous devons avancer plus loin, sans les nôtres.

Cet éloignement auquel vous ne pouvez vous soustraire, est probablement une cause normale de tristesse et de nostalgie. Néanmoins, vous avez la très grande chance de posséder un fantastique foyer qui brille continuellement et qui vous accompagne partout. Admirez-le lorsque vous sentez que la nuit tombe soudainement sur vos sourires. La danse de ses délicates étincelles vous ramènera vers les lueurs d'amour que les êtres qui vous sont chers vous ont offertes. Attisez-le pour qu'il vous couvre de chaleur. Il est soleil pour que vous ne soyez jamais seul(e) et ardeur pour que vous n'ayez jamais froid.

Soufflez sur vos trésors sentimentaux pour qu'ils se reflètent sans cesse sur les heures de vos journées. Puissent-ils vous nourrir de courage, de paix et de joie.

- Si la personne à qui vous adressez cette lettre a un foyer, vous pourriez lui offrir un soufflet afin qu'elle attise “ses flammes”.

- Assurez un suivi dans votre correspondance avec cette personne en lui adressant plusieurs lettres. Gardez un intervalle de quelques jours entre chaque envoi. Vous pouvez simplement y inscrire un groupe de mots: “Coucou”, “Bon courage”, “Prenez bien soin de votre feu de cheminée”...

- Offrez-lui quelque chose de pratique pour les voyages. Il peut s'agir d'une brosse à dents de voyage, d'une brosse à vêtements, d'un oreiller, d'un ensemble de serviettes de toilette... Écrivez ce commentaire: “Pensez dès à présent à vous organiser pour vos déplacements. Voici quelque chose qui vous sera très utile”.

Pour un(e) adulte qui doit déménager à contrecoeur

Notre réalité se déforme parfois sous l'effet de la peur et de l'appréhension face à de nouvelles expériences. Nous avons tendance à anticiper négativement les événements. Bref, tout devient lourd, impossible à franchir et inhospitalier. Naissent alors des sentiments sombres et confus. Un cercle vicieux s'installe. Nous devenons victime de notre imagination et nous nous laissons entraîner par elle dans ce malaise. Il est évident que nous ne voyons pas la vie en rose dans un tel contexte.

Je suppose que cette brève description doit correspondre à ce que vous vivez actuellement. Je comprends parfaitement votre état d'âme même si je ne suis pas à votre place. Je ne vais certes pas essayer de vous changer les idées en prétendant que tout se déroulera à merveille sans que vous ayez même le temps de sentir les changements. Non. Mais par contre, je me dois de vous rappeler certaines de vos qualités que vous avez tendance à oublier: *(nommez celles qui sont dominantes chez votre correspondant).*

Malgré mes minutieuses recherches, je ne parviens pas à trouver une seule raison qui vous empêcherait de vous composer un magnifique cadre de vie dans votre future nouvelle existence. Soyez surtout indulgent(e) avec vous-même et accordez-vous un certain temps pour prendre contact avec votre entourage. Rien ne se fait comme par enchantement. Mais les efforts sont toujours récompensés selon leur taille. J'espère que ceux que vous dispenserez auront la carrure d'un pachyderme, ce qui vous permettra d'avoir des résultats fulgurants et étonnants.

Sachez que je serai toujours là si vous avez besoin de quoi que ce soit. Je suis très heureux(euse) de vous connaître et j'ai très hâte d'entendre ou de lire vos premières impressions. Recevez mes voeux de bonheur et de courage.

- Envoyez-lui des ballons gonflables et ajoutez cette note: “Il ne suffit que de quelques efforts pour les gonfler et les faire grossir”.

- Fabriquez-lui un panneau de signalisation sur lequel vous aurez indiqué une limite de vitesse de 20 à l'heure et écrivez cette remarque: “Voici la vitesse recommandée que votre imagination devrait respecter pour le moment. Conseil de la part d'un agent de la circulation des émotions!”

- Achetez-lui un porte-clés en forme de coeur et indiquez ceci: “Ce souvenir vous portera chance”.

Pour un enfant qui est triste de déménager

Il paraît qu'il est possible de deviner les émotions de ceux que nous aimons beaucoup malgré la distance. J'en suis convaincu(e). Surtout depuis que je ressens ta tristesse, ton chagrin et un peu de colère vis-à-vis de tes parents. Cela doit être difficile pour toi de savoir que tu devras te séparer de ton décor actuel et quitter ta maison, ton quartier, tes ami(e)s, ton école et tout le reste. Peut-être même que tu imagines déjà ton nouvel environnement et que cette perspective t'inquiète car cela signifie que tu devras recommencer beaucoup de choses.

C'est vrai qu'il te faudra rassembler tes efforts pour prendre contact avec tout ce renouveau et te bâtir une vie confortable. Mais tu ne dois retenir qu'une chose: tu es imbattable pour ce genre de travail. Les débuts ne seront pas toujours faciles, comme pour toute étape. C'est un peu la même chose pour les devoirs et examens: les résultats sont la conséquence directe de la préparation fournie.

Je te promets que j'aurai des pensées spéciales pour toi et, si tu le permets, elles t'accompagneront dans tes démarches. Une autre vie t'attend là-bas. Je suis persuadé(e) que cette expérience sera une source d'agréables découvertes, même si tu en doutes pour le moment.

N'oublie surtout jamais que tu parviendras toujours à recommencer ailleurs ce que tu as réalisé ici: aimer et te faire aimer.

- Offrez-lui un ensemble de papier à lettres et ajoutez cette note: "N'hésite pas à l'utiliser si tu as envie de me donner de tes nouvelles".

- Joignez à cet envoi un objet qui vous appartient et écrivez cette remarque: "Je serai toujours avec toi pour t'encourager et te soutenir".

- Adressez-lui un ensemble de souvenirs ou d'informations sur la ville qu'elle/il quittera prochainement. Fouillez dans les magasins de souvenirs. N'oubliez pas évidemment de sélectionner des cartes postales. Inscrivez cette remarque: "Les souvenirs ne sont pas réservés qu'aux touristes!"

Pour une personne âgée qui doit quitter sa maison

Le matin se lève à peine. Que c'est plaisant d'assister au spectacle de la nature. Le silence se profile un peu partout. Ce genre de moment privilégié m'entraîne toujours dans mes réflexions. Par exemple, en ce moment, je pense à une dame/un homme charmant(e), pour qui j'ai beaucoup d'affection, et qui quittera sous peu son domicile. Elle/il s'aperçoit de son attachement à bien des êtres mais également à certaines choses même si elle/il ne se considère pas matérialiste. Il lui serait en effet difficile de demeurer indifférent(e) aux éléments qui habitent son quotidien *(énumérez des éléments ou objets qui sont dans le domicile de la personne à qui vous destinez cette lettre. Par exemple: le miroir dans l'entrée, les bocaux gravés par sa fille, le tapis du salon, la nappe en dentelle, le cadre de nature morte...).*

Oui, c'est bien de vous dont je parle. Néanmoins, vous avez le privilège d'emporter avec vous votre plus grande richesse: votre boîte à trésors, celle qui renferme tous vos précieux souvenirs. Ils font partie de votre identité et de vos mémoires. Ce coffre précieux demeurera toujours à votre disposition, et ce, quel que soit l'endroit où vous vous retrouverez. Cette fidèle source de bonheur vous épaulera dans cette transition.

Je vous retarde avec mon bavardage et je vous empêche peut-être d'aller préparer votre malle des doux moments qui ont marqué votre existence. Prenez bien soin d'elle. Elle sera votre amie pour affronter ce départ et cette nouvelle adaptation.

Que l'affection de tous ceux qui vous apprécient et vous aiment vous apporte chaleur et réconfort.

- Offrez-lui une belle boîte en forme de coeur ou collez-en sur le dessus. Ce genre d'autocollant se trouve un peu partout. Inscrivez cette note: "Ce présent vous sera très utile pour y mettre tous vos souvenirs".

- Sur une autre enveloppe, notez ceci: "Coffre à trésors personnalisé". Glissez à l'intérieur une feuille sur laquelle vous aurez écrit le prénom de toutes les personnes qui lui sont proches. Ajoutez cette remarque: "Ceux-là vous suivront partout".

- Achetez-lui quelque chose qu'elle/il pourra emmener: un coussin, du papier à lettres, un vase, un petit tapis, une serviette de toilette moelleuse... Notez ce commentaire: "Pour ajouter à votre futur confort".

Pour une personne âgée qui doit s'habituer à un nouveau lieu de résidence

Nous nous rendons réellement compte de l'importance de nos objets, de nos murs, de nos vieux meubles, le jour où nous devons les quitter. Avant cette séparation, ils nous apparaissent parfois banals et nous les regardons par habitude. L'habitude de toujours les avoir sous les yeux et de les retrouver comme bon nous semble.

Ce ne sont plus que de simples objets que nous laissons mais des multitudes de notes d'amour, de joie, de peine et beaucoup d'empreintes de notre histoire personnelle. Ce duo de douceur était plus ou moins présentes dans tous les fidèles éléments de notre décor de toujours. Nous le considérions comme un ami loyal et discret qui a partagé notre vécu sans jamais nous demander d'explications.

Sachez que tous les précieux moments et sentiments qui ont marqué votre vie sont pour toujours inscrits dans votre mémoire. Rien ni personne ne pourra jamais vous en séparer.

Je vous souhaite de cueillir encore de nombreux témoignages d'affection dans ce nouveau lieu où vous êtes.

- Organisez à la personne un accueil personnalisé le jour où elle intégrera son nouveau lieu de résidence ou dans les semaines qui suivront. Vous pouvez vous arranger avec le personnel de l'établissement et également avec les membres de sa famille, ses proches et ses anciens et nouveaux voisins.

- Joignez à cet envoi un objet discret, utile pour le rangement. Choisissez-le en tenant compte du fait que la personne à qui vous adressez cet envoi a peu d'espace dans son nouvel environnement. Par exemple un sac à cosmétique, une boîte pour les sous-vêtements, une boîte à savon... Inscrivez ce commentaire: "Cet objet se réjouit à l'idée de rejoindre tous les amis que vous possédez déjà. Il sera toujours là pour vous égayer".

- Offrez-lui quelque chose de doux *(un oreiller, un coussin, une descente de lit, une lampe de couleur, un bonnet...)* et ajoutez cette remarque: "Pour mettre de la douceur dans votre nouvelle vie".

Pour une personne qui est obligée de vendre sa maison

La société dans laquelle nous vivons est de plus en plus basée sur l'avoir. Les individus sont identifiés par ce qu'ils possèdent et non par ce qu'ils sont réellement au plus profond d'eux-même. Les critères sociaux, notamment l'importance de l'avoir, sont trop souvent adoptés comme des références universelles auxquelles chaque individu doit se conformer. Ce qui entraîne bien des remises en question personnelles. Plusieurs sont ainsi amenés à se dévaloriser et à se juger injustement.

Je pense que c'est peut-être ce qui vous arrive. La perte de votre maison bouleverse votre existence. Elle marque en quelque sorte un nouveau départ, et non un pas en arrière. Nous avançons toujours vers du mieux-être même si parfois cela implique que nous devions traverser des déserts ou des canyons. Vous conserverez l'essentiel: votre corbeille de trésors qui vous représente très fidèlement comme une personne valeureuse, attachante, respectable et admirable. Accrochez-vous à vos lendemains. Ils vous rappelleront que vous êtes un(e) battant(e) et un(e) gagnant(e). N'oubliez pas que le plus grand fleuve du monde n'est d'abord qu'une goutte d'eau!

- Achetez-lui un beau porte-clés et ajoutez ceci: "Un autre nid douillet vous attend quelque part".

- Offrez-lui un agenda accompagné de cette remarque: "Pour que les apprentissages de chacune des minutes de cette nouvelle étape vous accompagnent à jamais". Écrivez ceci sur la première page: "Personne ne pourra jamais m'enlever ce que je suis et ce que je possède à l'intérieur". Et faites suivre cette phrase du prénom de votre correspondant, comme s'il l'avait écrite lui-même.

- Trouvez un petit flacon et mettez-y un peu d'eau à l'intérieur. Inscrivez cette phrase sur l'extérieur: "N'oubliez pas que le plus grand fleuve du monde n'est d'abord qu'une goutte d'eau!"

À un parent pour le décès de son enfant

Hier soir, j'ai eu la chance d'entendre à la télévision un ténor italien qui n'est pas encore très connu mais qui promet. Je frissonnais sous les vibrations de sa voix. Ses mots se suivaient avec une grâce peu commune et s'enflammaient sous ses cordes vocales. J'ai fermé les yeux pour mieux me laisser séduire. La passion du chanteur résonnait dans mes oreilles. La chanson s'intitulait: "cantique à la vie". J'ai aussitôt pensé à votre enfant. Il aurait adoré cet air. Je le lui ai dédié mentalement. Petit cadeau. Je me souviens comme il adorait les surprises.

L'art, sous quelque forme qu'il soit, rapproche les gens. Aussi j'aurais voulu être poète pour composer quelques lignes d'amour et les envoyer à *(prénom de l'enfant)*. Mais je me serais senti(e) bien ridicule à côté de vous. Vous qui avez été son poème favori, celui qu'il écoutait sans cesse pour se bercer avant de s'endormir. Vous qui avez guidé ses pas toute sa vie durant. La poésie est le langage du coeur; immuable symphonie de tendresse qui unit les êtres. Puissiez-vous vous retrouver dans la douceur de votre prose. La prose de votre histoire.

- Offrez-lui la cassette d'un ténor ou soprano, tel que L. Pavarotti, A. Bocelli, E. Lotti, S. Brightman ou autre. Notez ceci: "Pour que vous vous retrouviez plus souvent ". Consultez notre liste en annexe.

- Achetez-lui un livre sur le deuil pour l'aider à cheminer et à mieux comprendre ses états intérieurs. Inspirez-vous de la liste que nous vous proposons en annexe.

- Inscrivez sur différentes feuilles de couleur cette même remarque: "Je suis là si vous avez besoin de quoi que ce soit". Mettez ces papiers dans une petite boîte que vous emballerez comme un cadeau. Cette preuve de soutien et d'affection sera sûrement appréciée.

À un parent pour le décès de son enfant

Je n'ai pas vraiment l'habitude de prendre ma plume pour de telles circonstances. Je voudrais surtout vous témoigner ma grande affection. Vous traversez une épreuve extrêmement difficile qui soulève souffrance, impuissance et colère. Je vous adresse mes meilleures pensées pour parvenir à ne pas perdre pied et à accepter. Non pas se résigner mais accepter. Se résigner signifie que nous nous soumettons à contrecoeur tandis qu'accepter fait appel au consentement.

Je pourrais continuer ce courrier et reprendre des mots que vous avez sûrement déjà entendus. Mais à quoi bon. Vous me trouveriez probablement importun(e) et à juste raison.

Accrochez-vous pour traverser cette étape - véritable tempête. Soyez assuré(e) que le calme reviendra dans votre vie.

Recevez ma profonde sympathie.

- Demandez à des personnes de l'entourage de votre correspondant de compléter une phrase concernant le disparu. Par exemple: "Ce que je n'oublierai jamais chez *(prénom de l'enfant)* c'est..." ou "ce qui était le plus formidable chez (prénom de l'enfant) c'est..".. Rassemblez-les ensuite dans un album et remettez le tout à la personne concernée.

- Adressez-lui quelque chose qui rappelle la chaleur et le bien-être: des sachets de chocolat chaud, des tisanes, un bonnet, une écharpe, un chandelier et une bougie... Écrivez cette remarque: "Pour réchauffer votre coeur en hiver".

- Ajoutez à ce courrier un papier recherché, de couleur, sur lequel vous inscrirez ceci: "Puissiez-vous conserver tous les moments de bonheur que vous avez composés avec *(prénom de l'enfant)*, sans qu'ils ne soient jamais altérés par votre séparation".

À un parent pour le décès de son enfant

L'amour est la plus belle chose qui existe au monde. Il embellit l'existence, tapisse les coeurs de douceur, ensoleille les regards et rapproche les personnes. Néanmoins, il devient parfois douloureux lorsque ceux à qui nous sommes attachés quittent notre quotidien pour diverses raisons. La place vide du disparu fait naître peine, tristesse et désarroi. Jamais nous n'aurions imaginé que cela pouvait arriver si rapidement. De plus, nous n'étions pas prêts à subir un tel choc. En fait, il n'y a pas de moments propices pour vivre ce genre de circonstance.

Pourtant, avec le temps, nous réalisons que l'amour demeure toujours présent. Plus de la même façon, mais il continue à nous habiter et à nous nourrir.

Un proverbe prétend que donner est la meilleure façon d'être et d'exister. Alors soyez encore et toujours aussi généreux(euse) en amour.

Recevez mon admiration pour votre courage et pour la bonté de votre coeur.

- Envoyez-lui un paquet de ballons pour qu'elle/il inscrive sur chacun d'entre eux ses nombreux messages d'amour pour son enfant et qu'elle/il les laisse s'envoler. Cette thérapie est très efficace pour ceux qui sont endeuillés.

- Offrez-lui le livre de Richard Bach "Ailleurs n'est jamais loin quand on aime". Elle/il trouvera très certainement dans ces pages, remplies de sagesse et de poésie, un certain réconfort.

- Adressez-lui un objet décoré avec un coeur: un porte-clés, une tasse, un coussin... Inscrivez cette note: "Avec tout mon amour".

À un parent pour le décès de sa fille

Les départs sont plus ou moins pénibles à vivre. Certains sont à peine ressentis comme tels car l'absence de celui ou celle qui part est de très courte durée. Par contre, d'autres sont bouleversants car ils marquent le début d'une séparation plus profonde. L'acceptation d'une telle situation ne signifie nullement l'oubli. L'amour, la tendresse et l'affection s'entretiennent également à distance, grâce aux chauds et tendres souvenirs et aussi aux douces pensées.

Votre fille a pris un autre chemin. Même si vous ne parvenez plus à vous voir, à vous parler, à vous toucher, vous êtes toujours aussi uni(e)s l'un(e) à l'autre grâce à l'histoire que vous avez créée ensemble. Une histoire d'amour, de respect et de partage.

Je vous adresse ma profonde sympathie pour traverser cette épreuve. Que chaque nouvelle journée vous apporte paix et sérénité.

- Trouvez un ange qui sourit ou qui a une expression faciale heureuse et notez ceci: "Votre fille a toujours été - et elle le demeure encore - un ange exceptionnel".

- Adressez-lui un joli album de photographies et inscrivez cette remarque: "Pour prendre soin de l'histoire qui vous unit à votre fille".

- Offrez-lui un panier et remplissez-le avec autant d'objets que le nombre d'années vécu par sa fille. Cela pourrait être des chocolats différents, des boules d'huile pour le bain mais d'essence et de formes diverses, des friandises variées... Ajoutez cette note explicative: "Chacune de vos années avec votre fille avait sa particularité, tout comme ces *(nombre de cadeaux)* modestes présents. Toutes étaient riches, uniques et belles. Quel précieux trésor vous possédez!"

À un parent pour le décès de son fils

Il y a plusieurs siècles, en Mésopotamie, un homme qui était très malade sentait que l'heure de son départ était imminente. Aussi avait-il fait venir ses proches pour leur dire au revoir. Tous retenaient leurs larmes devant lui. Le mourant s'était alors redressé contre ses oreillers et s'était exclamé en souriant:

"Les adieux n'existent pas. Je pars en voyage, sans valises, sans argent. Je ne vous écrirai pas mais vous recevrez de mes nouvelles tant et aussi longtemps que vous demeurerez attentifs au chant de la nuit. Je veux que vous ne conserviez de moi que l'image qui me représente: la vie. Je vous demande surtout de m'entourer de joie pour que je puisse m'engager sur ce chemin inconnu sans avoir envie de faire demi-tour".

Il s'est éteint quelques heures plus tard.

Votre fils était lui aussi rempli de vie. Cette séparation est sûrement très éprouvante. Si seulement il pouvait être encore là. Mais les choses sont ainsi et il vous faut les accepter. La plus grande aide que vous puissiez vous apporter serait de l'imaginer heureux, paisible et poursuivant une nouvelle ascension. Toute cette tendresse qui vous unissait est éternelle.

Je vous adresse mes sincères condoléances. Que votre courage et votre très grande force prennent soin de vous.

- Ajoutez à cet envoi un genre de carte d'affaires que vous aurez fabriquée vous-même à l'aide d'un joli carton et sur laquelle sera inscrite cette phrase: "Je vous souhaite de parvenir à entourer *(prénom du fils)* de joie pour qu'il puisse s'engager sur ce chemin inconnu sans avoir envie de faire demi-tour".

- Il existe de très bons livres qui traitent de sujets plus ou moins spirituels. Ils sont souvent empreints de réconfort et de douceur. Cela pourrait être un bon choix, sans pour autant que le sujet de la mort ne soit abordé. Consultez la liste proposée en annexe.

- Adressez-lui des bulbes de fleurs et écrivez cette remarque: "La vie continue, elle est partout".

À un enfant pour le décès d'un de ses parents

Tôt ce matin, un bruit étrange m'a réveillé(e). Je me demandais d'où il venait. Je suis allé(e) interroger mon coeur car il est très doué pour percer ce genre de mystère et pour m'aider à voir plus clair dans bien des situations. Il m'a indiqué qu'il ne pouvait s'agir que d'un enfant qui avait de la peine et que ce gros chagrin qui l'envahissait était causé par la disparition de sa maman/son papa. C'était normal que la tristesse lui fasse aussi mal car cet(te) femme/homme qui l'aimait tendrement était extraordinaire.

Je ne parvenais plus à me rendormir après avoir compris qu'il s'agissait de toi. Tu comptes beaucoup pour moi. Ta maman/ton papa restera pour toujours cette merveilleuse personne qui savait te donner de l'amour et de la joie. Si tu cherches bien dans tes pensées, tu retrouveras ses mots doux, ses caresses et ses bons conseils. Elle/il te les a donnés et ils t'appartiennent pour toujours. Garde-les précieusement.

Je t'aime beaucoup moi aussi et je veux que tu saches que je serai toujours là si tu as besoin de quoi que ce soit. Je t'embrasse très fort et je t'offre le plus doux des câlins.

- Envoyez-lui une peluche avec ce mot: "Il est rempli d'amour. Serre-le contre toi pour sentir toute cette affection dans ton coeur".

- Adressez-lui quelque chose que la/le disparu(e) vous avait offert et ajoutez ceci: "C'est un cadeau que ta maman/ton papa m'avait donné. Je sais qu'elle/il y avait mis beaucoup de son amour. Il en reste encore à l'intérieur. J'ai pensé te le laisser".

  Si vous ne possédez rien de la/du défunt(e), inventez un petit mensonge. Ce n'en est d'ailleurs pas un dans un tel cas.

- Invitez-la/le à venir passer un après-midi avec vous *(cinéma, patinoire, ski, natation, plage...)*, à partager un repas ou à séjourner chez vous durant une fin de semaine. Cela lui fera sûrement plaisir d'être entouré(e).

À un(e) adulte pour le décès de sa mère

Il fait presque nuit et une image me revient sans cesse en tête. Une rose rouge prise au petit matin. Je ne parviens plus à me souvenir de l'endroit où je l'ai remarquée. Était-ce une photographie, l'illustration d'un livre ou une peinture? L'aurais-je aperçue durant l'été, dans un jardin? Mystère.

Toujours est-il que les traits sont nets et précis et les couleurs rayonnantes. Cette fleur transmet toujours intensément la joie et la vie en tendant ses pétales fraîchement éclos. Si je ne craignais pas de paraître un peu dérangé(e), je dirais même qu'elle sourit à qui veut bien la regarder. Je suis persuadé(e) qu'elle avancerait ses bras, si elle en avait, pour offrir sa grâce et sa fraîcheur. Un détail me frappe toujours cependant. Les légères gouttes de rosée qui l'ornent brillent délicatement et leurs reflets ressemblent à un manteau de diamants. Très féminin.

J'ai trouvé! Cette rose ressemble beaucoup à votre maman. Ce doit être son visage qui m'apparaît. Visage du bonheur, souriant et enjoué. Elle demeurera ainsi dans nos mémoires. Une beauté que rien ne peut faner, un parfum d'amour qui ne s'altérera jamais.

Elle vous manque sûrement. Mais votre tristesse risquerait de ternir ses charmes et ses élans de gaieté.

Puissiez-vous trouver paix et réconfort
avec le temps!

- Offrez-lui soit une rose rouge naturelle ou une imitation.

- Les magasins spécialisés en matériel artistique possèdent un vaste choix de feuilles pour le courrier qui se vendent à l'unité. Il existe sûrement un modèle imprimé avec une ou des roses. Vous pourriez vous en procurer afin d'y écrire votre lettre.

- Ajoutez à cet envoi quelque chose qui symbolise la paix: une cassette de musique de relaxation, une bougie, un livre sur les roses ou sur des pensées. Ajustez bien sûr votre choix en fonction des goûts de cette personne que vous connaissez. Inscrivez cette phrase: "Un petit réconfort pour que le temps puisse vous ramener la paix".

- Achetez-lui un flacon vide qui peut avoir différentes utilisations et notez cette remarque: "À vous de le remplir avec un parfum qui ressemble le plus à votre maman".

À un(e) adulte pour le décès de son père

Des hiéroglyphes retrouvés dans des vestiges égyptiens parlent d'une vallée où vont se reposer ceux qui nous quittent. Personne n'a encore trouvé le chemin. L'endroit est d'ailleurs situé sur des hauteurs inaccessibles. La légende rapporte que la végétation y est luxuriante et très variée. Les couleurs très chaudes et apaisantes créent une atmosphère saine.

La paix et la quiétude caractérisent le climat qui règne là-bas. L'entente entre les êtres est cordiale, même si la population est très hétérogène. Tous les sentiments qui se développent prennent naissance dans les jardins de gentillesse et de bonté que chacun entretient. Tous vivent un si grand bonheur que leurs sourires illuminent la terre et ses habitants.

Votre père est à présent l'un de ceux-là. Tout comme lui, vous aurez à vous adapter à une vie un peu différente. Une vie où les souvenirs qui vous rapprochent tous les deux seront toujours présents.

Que cette complicité partagée soit toujours une flamme de vie, d'espoir et de bonheur dans votre coeur. Qu'elle continue à briller et à exister par amour pour votre père.

- Joignez le post-scriptum suivant: "J'oubliais, une partie de ces hiéroglyphes précisent que les visiteurs peuvent tout de même accéder à cette vallée sans se déplacer; il leur suffit simplement de fermer les yeux".

- Adressez à votre correspondant une photographie ou une image des pyramides d'Égypte et notez ceci: "Si Kheops, Khephren et Mykerinos recèlent encore bien des secrets, vous pouvez vous aussi vous targuer d'en conserver. Notamment celui de l'amour avec votre père".

- Achetez-lui le livre "Le nain jaune". L'auteur raconte la relation qu'il avait avec son père décédé. Vous trouverez les références en annexe.

Le ciel est aussi fascinant le jour que la nuit. Les étoiles ajoutent beaucoup de beauté à ce spectacle. Elles forment une grande famille. Celles qui sont voisines doivent se connaître à merveille depuis le temps qu'elles brillent. Je les imagine très bien - heureuses de se retrouver, de se raconter leur journée, de partager quelques secrets et de profiter du silence nocturne pour se sentir encore plus proches. Je suis certain(e) que les astres seraient profondément bouleversés si l'un d'eux manquait à l'appel un soir.

C'est ce qui vous arrive. Vous venez de perdre une de vos étoiles - votre soeur. Et une soeur, c'est tellement important dans une vie. Cette personne chère vous apportait réconfort, tendresse et soutien. Une place est vide et pourtant elle n'en demeure pas moins illuminée par toute cette affection qui vous unissait et que vous conservez en héritage.

Que les souvenirs partagés avec elle vous bercent de joie et qu'ils brillent pour que vous ne vous sentiez jamais seul(e).

- Offrez-lui une belle chandelle ou des allumettes décoratives de grand format et notez ceci: "Pour vous aider à voir plus clair durant cette sombre période".

- Envoyez-lui un objet en forme d'étoile, de soleil ou de lune et ajoutez ce commentaire: "La complicité que vous aviez avec votre soeur est comme cet astre: présente mais discrète".

- Adressez-lui un bouquet de fleurs ou faites-lui livrer une plante. Ce geste sera probablement d'un grand réconfort. Accompagnez le tout avec cette phrase: "Continuez à reconnaître, à profiter et à faire grandir la beauté et la douceur qui vous entourent".

Pour le décès d'un frère

L'enfance est un monde merveilleux - celui des découvertes. C'est à cette époque, en effet, que les très jeunes prennent contact avec leur monde environnant et leurs proches. Ce sont tous ces points de repère qui déterminent leur identité et la qualité de leur vie. Des liens se tissent petit à petit et se resserrent au fil des années. Tout ce contexte est propice pour créer d'heureux souvenirs.

Plusieurs de ces belles mémoires vous unissent à votre frère. Vous étiez proche de lui et je devine toute la peine que vous devez ressentir. C'est probablement comme si un de vos trésors s'effaçait ou s'éloignait. Néanmoins, de telles richesses affectives sont d'une extraordinaire fidélité. Vous en doutez peut-être au moment où vous lisez ces quelques lignes. Et pourtant, je suis persuadé(e) que vous abonderez dans mon sens d'ici peu.

Je vous souhaite de retrouver la paix dans le silence de vos souvenirs avec *(prénom du frère).*

- Trouvez une image ou une carte postale de deux enfants qui se tiennent la main. Il en existe de très belles. Écrivez cette remarque au dos: "La fraternité demeure toujours aussi forte, même après avoir traversé la pire des épreuves".

- Offrez-lui une jolie boîte accompagnée de cette note: "Pour y mettre toute l'affection, l'amour et les bons souvenirs développés avec votre frère. Ainsi, ils vous seront toujours accessibles".

- Achetez-lui quelque chose qui rappelle une passion qu'entretenait son frère: une cassette d'un de ses chanteurs préférés, un objet pour sportif s'il l'était *(une casquette, une serviette éponge, une balle de tennis, de golf...)*, une bouteille de vin s'il l'appréciait ou quelqu'autre objet qu'il affectionnait. Écrivez ce commentaire: "N'est-ce pas qu'il est encore présent à l'intérieur de vous?"

Pour le décès d'une grand-mère

Si vous lisez ces quelques lignes, vous sentirez alors toute mon affection à vos côtés. J'ai appris la triste nouvelle et j'en suis encore troublé(e). Les grands-mères ont un rôle très important. Elles sont à la fois de bonnes fées, des bouquets de tendresse, des notes d'humour et surtout, elles sont permissives. Décor idéal pour le développement d'une extraordinaire complicité.

La grand-mère... souvenirs de vacances, odeurs de biscuits, permission refusées par les parents refusent, caresses affectueuses, cadeaux en avalanche et chantage amical. Ses rides et cheveux blancs lui donnent un air de magicienne.

Quel grand vide lorsqu'elle disparaît! Elle semble emmener avec elle une partie de cette si douce époque. Pourtant, forts de tout son héritage, nous conservons avec nous chacun des moments partagés.

Puissiez-vous parvenir à trouver un chemin secret qui vous conduira jusqu'à elle aussi souvent que vous le désirerez.

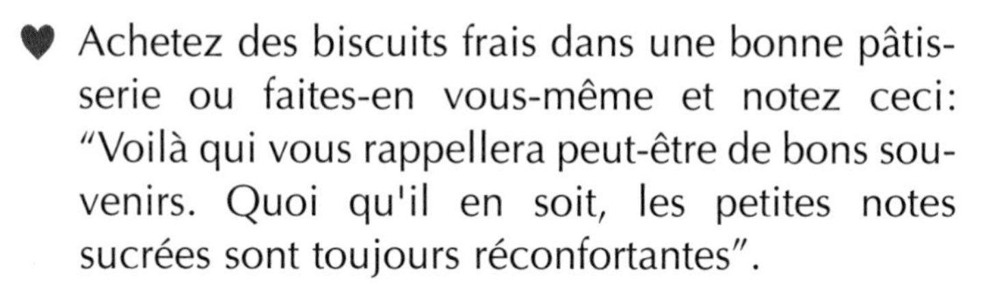

- Achetez des biscuits frais dans une bonne pâtisserie ou faites-en vous-même et notez ceci: "Voilà qui vous rappellera peut-être de bons souvenirs. Quoi qu'il en soit, les petites notes sucrées sont toujours réconfortantes".

- Offrez-lui un carnet avec, si possible, l'illustration d'une grand-mère en premier plan et ajoutez cette remarque: "Pour rédiger vos précieux souvenirs".

- Composez un genre de testament en vous inspirant du modèle suivant. Laissez aller votre imagination. Vous pouvez adapter cette idée selon votre cas.

  (prénom et nom de la grand-mère) lègue à son petit-fils ou petite-fille de l'amour en abondance. *(Prénom de votre correspondant)* doit en prendre soin et le cultiver pour qu'il ne disparaisse jamais.

Pour le décès d'un grand-père

Nous représentons souvent le grand-père comme un bon bonhomme qui prend soin de ses proches. Il vit tranquillement et profite de chaque minute. Il adore faire des farces. Les blagues qu'il raconte font toujours autant rire même si elles se ressemblent beaucoup. Sa calvitie lui va très bien. Il ne veut rien savoir quand on lui dit qu'il devrait arrêter de fumer. Un vice est nécessaire, sinon il serait trop parfait! Il raconte à qui veut l'entendre tout ce qu'il a fait durant son existence. Bon sang, quel homme! Attention, il est encore si alerte qu'il ne manque pas de jeter un petit coup d'oeil vers les jolies femmes. Après tout, c'est un des plaisirs de la nature. D'autant plus qu'il est né avec des yeux, alors autant les utiliser!

Grand-père tendresse. Papy espiègle. Bon papa douceur. C'est un univers de complicité. Une petite pensée vers lui et nous voudrions le serrer dans nos bras. Il y a toujours un grand vide lorsqu'il disparaît. Mais ainsi va la vie.

Le vôtre était formidable. Il vous laisse un précieux héritage: son amour. Prenez-en soin. Cultivez-le et transmettez-le avec joie en souvenir de cet aïeul qui demeure pour toujours dans votre mémoire. Le plus beau cadeau que vous puissiez lui adresser pour lui rendre hommage serait une pensée multicolore qui rappellerait l'anecdote la plus comique vécue avec lui. Le rire est ce qui rapproche les êtres. Ainsi serez-vous toujours ensemble.

- Offrez-lui un cadre avec quelques fioritures et écrivez ceci: “Pour que vous y mettiez votre plus beau souvenir avec cet homme”.

- Il existe des tasses, objets décoratifs, vêtements, tee-shirt ou autre dont l'inscription spéciale est destinée aux grands-pères. Achetez-en un et inscrivez ceci: “Pour vous rappeler qu'il est toujours proche de vous”.

- Adressez-lui une boîte de crayons de couleur et notez ceci: “Ceci vous sera indispensable pour vos pensées multicolores”.

Pour le décès d'un ami

Les habitants d'une tribu d'une île de l'océan Pacifique, "les Titchoulis", ont conservé des moeurs et coutumes bien différentes des nôtres. Leurs rites funèbres sont notamment surprenants. Par exemple, dans le cas du décès d'un ami, ils ne se rappellent que des bons moments et ils les illustrent par une musique, un dessin, des phrases, des lettres ou autre. Il y en a même qui achètent une variété de mets ou de vins de prédilection chers au disparu. Certains découpent des images qui rappellent le sport qu'il préférait.

Ensuite, ils vont enterrer tout ce qu'ils ont réuni pour le lui faire parvenir. Ils partent du principe que son départ a été si précipité qu'il n'a pas eu le temps d'emmener avec lui tous ses trésors fétiches. Puis, ils doivent eux aussi trouver et choisir quelque chose qui les rapprochera de leur bon camarade. Il peut s'agir d'un tic, d'un rictus, de mots qu'il employait souvent, d'une chanson qu'il fredonnait habituellement ou autre. C'est une façon de montrer que rien ne peut briser l'amitié et que même si un être aimé est loin, il continue à vivre et à rayonner comme avant, et pour toujours.

Votre ami serait très heureux de constater que vous avez eu envie de protéger sa mémoire et d'adopter ce qu'il adorait. Que son affection vous fasse sourire, de la même façon qu'une chanson d'amour vous ferait rêver.

- Fabriquez-lui un bon d'entrée pour accéder à la tribu des "Titchoulis" et ajoutez cette note: "Vous connaissez les habitudes de ces personnes. Vous possédez à présent toutes les clés pour devenir un membre permanent de leur société".

- Composez-lui un bon pour l'inviter à parler de ce deuil lorsqu'il le désire. Cette proposition fera davantage appel au partage.

- Offrez-lui une carte format carte d'affaires ou une affiche qui représente l'amitié. Vous trouverez ces objets dans les magasins spécialisés en cartes de souhaits.

Une personne âgée disait un jour que la vie est comme une montagne russe; tantôt avec des hauts, tantôt avec des bas et des descentes si violentes qu'il faut du temps avant de pouvoir refaire surface. C'est vrai. Nous connaissons parfois des périodes tranquilles où les problèmes ne nous assaillent que gentiment. Ce repos nous permet de goûter pleinement chaque minute. Mais soudain, le chaos se pointe sans prévenir. Les choses s'agitent autour de nous et elles nous affolent au point que tout notre corps et notre esprit sont en alerte. Nous sommes complètement absorbés par ces aléas et nous en oublions même la sérénité qui nous habitait auparavant. Ce bien-être était pourtant bien réel.

La disparition de votre amie est une pente assez obscure sur laquelle vous glissez. Mais n'oubliez surtout pas toutes les richesses qui vous unissent encore à elle. Quel que soit l'endroit où vous serez, elles vous accompagneront sans cesse car elles vous appartiennent.

Que le temps et la paix vous aident à soigner les bleus de votre âme. Unissez vos forces pour retrouver rapidement un sommet ensoleillé.

♥ Ajoutez à cette lettre une cassette de musique nouvel âge, classique ou autre *(consultez notre répertoire en annexe)* qui conviendrait aux goûts de votre correspondant(e) et inscrivez ceci: "Cette musique vous accompagnera aussi bien dans les hauts que dans les bas".

♥ Trouvez l'image ou la photographie d'un téléphone et inscrivez votre numéro au verso avec cette phrase: "N'hésitez pas à m'appeler si le coeur vous en dit".

♥ Adressez-lui une mini-trousse de premiers soins que vous aurez composée vous-même *(pansements, coton, désinfectant, huiles essentielles, friandises...)*. Écrivez ce commentaire: "Pour soigner les bleus de votre âme".

Il suffit parfois de peu de choses pour troubler l'ordre ordinaire du quotidien. Un exemple me vient à l'esprit, celui des rapides. Imaginez un courant d'eau très calme qui parvient à un endroit où la pente de son lit augmente brutalement. L'écoulement s'accélère et s'agite sensiblement durant ce passage. Ensuite? Le calme revient. Chaque légère "vague" s'apaise et reprend un rythme normal.

Certaines situations ressemblent un peu à ces agitations temporaires. Notamment, dans le cas du deuil d'un proche. Cette nouvelle nous perturbe profondément et nous trouble tant sur le plan personnel, professionnel, qu'affectif. Bref, notre équilibre est fragile et il devient rapidement ébranlé.

Vous aussi êtes affecté(e) par la turbulence imprévue de la vie. La disparition de cet être cher met un voile de brouillard sur vos pensées et soulève tristesse et nostalgie. Avec le temps, vous parviendrez à retrouver un contexte paisible et un climat plus serein. Néanmoins, un parfum demeure: celui de cet(te) autre que vous aimiez tant et que vous chérissez toujours. Senteur inaltérable qui perdurera tant et aussi longtemps que vous souhaiterez la conserver à portée du coeur.

Puisse cette lettre vous inspirer courage,
confiance et paix!

- Joignez à ce courrier un objet fin et délicat. Ce pourrait être une plume d'oiseau, un papillon, une rose, une tige de blé... Ajoutez cette remarque: "Si fragile et délicat. Conservez surtout toute sa beauté".

- Fabriquez une étiquette que vous collerez sur une vidéocassette vierge. Inscrivez dessus le prénom de la/du disparu(e) ainsi que celui de la personne à qui vous adressez cet envoi. Inscrivez ceci: "Pour que vous puissiez revivre à votre guise tous les bons souvenirs avec *(prénom de la personne disparue)*".

- Adressez-lui un petit flacon d'eau et notez cette remarque: "Malgré les rapides qu'elle a franchis, cette eau connaît maintenant le calme. Je sais que vous y parviendrez aussi".

Jacob Cats disait: "Aucun arbre ne croît en un jour, aucun ne tombe au premier coup". Je serais tenté(e) de modifier cette phrase en précisant qu'aucune relation affective ne se développe en un jour et aucune ne s'efface instantanément. Rien ne peut faire disparaître des liens entre les personnes s'ils sont assez forts et si les concerné(e)s désirent ardemment les conserver. Ainsi en est-il pour vous.

Vous devez être très affecté(e) par la disparition de *(prénom de la personne disparue*). Pourtant, malgré cela, la vie continue... pour vous aussi. La tristesse et la peine que vous ressentez sont normales. Je pense que cet événement a dû créer bien des remous de ce côté. Je vous souhaite de parvenir à trouver rapidement un chemin qui vous apportera beaucoup de paix dans vos sentiments et émotions du moment.

Cultivez soigneusement chaque souvenir que vous conservez de votre relation avec *(prénom de la personne défunte)* afin qu'il vous apporte cette même chaleur que lorsqu'elle/il était présent(e).

- Adressez-lui un album de photographies ou un cadre et notez ceci: "Un passeport pour retrouver un peu de cet autre. Remplissez-le avec les souvenirs que vous détenez *(lettres, photographies ou autre)*".

- Joignez à votre correspondant(e) un carnet avec une couverture décorative et ajoutez cette remarque: "Il est parfois indispensable de parler de ses émotions. Je me permets de vous offrir un confident très discret".

- Envoyez-lui un instrument de jardinage *(surtout si la/le disparu(e) aimait la terre)* et inscrivez ce commentaire: "Pour continuer à cultiver chaque souvenir qui vous unit à *(prénom de la personne disparue)*".

Nous possédons tous un merveilleux écrin gorgé de souvenirs. Ils représentent les diverses étapes que nous avons construites et franchies. Certaines nous font un peu plus sourire, tandis que d'autres ne nous laissent même pas l'ombre d'un rictus. Nous leur associons inévitablement des événements tristes ou heureux. À cela s'ajoutent des êtres chers auxquels nous nous étions attachés et qui nous ont quittés sans prévenir. Nous voudrions nous révolter, crier que c'est injuste et que la vie n'est vraiment pas une partie de plaisir. Nous avons tendance à ne voir que la fin marquante de ces liens: la mort. Petit à petit, les bons moments passés avec l'être chéri surgissent afin de se pérenniser dans nos entrailles.

Accepter de ne plus jamais voir une personne aimée est pénible. Cet(te) autre ne viendra plus percer la lumière pour nous rejoindre. Elle/il ne nous attendra pas sur le seuil de la porte. Sa voix est encore très présente même si elle ne ressemble plus qu'à un écho.

Je joins à mes sincères condoléances des éclats de lumière pour qu'ils vous éclairent dans cette épreuve. Le deuil est toujours teinté de tristesse et d'errance. Mais il est important de ne pas oublier de consoler les pleurs de notre jardin secret et de leur confier les merveilleux et inoubliables moments qui demeurent malgré tout. Les vôtres vous seront fidèles. Surtout ne les délaissez sous aucune raison. Eux seuls parviendront à établir un pont imaginaire pour parvenir à ressentir toute la beauté de cet “Avant”.

- Trouvez l'image d'un pont et notez ceci: “Indispensable pour retrouver un peu de cet ‘avant’”.

- Achetez-lui un petit sac en velours ou en dentelle et écrivez cette remarque: “Pour y enfermer tous vos précieux souvenirs avec *(prénom de la personne défunte)*”.

- Envoyez-lui une belle boîte de mouchoirs en papier et ajoutez ce commentaire: “Pour consoler les pleurs de votre jardin secret”.

Pour une personne dont un membre de l'entourage s'est suicidé

Les spécialistes sont tous d'accord pour reconnaître qu'il existe des maladies du corps et également des maux de l'âme et de l'esprit. Il est facile de diagnostiquer et de soigner des fractures ou des ulcères. Par contre, il y a encore bien des progrès à faire avant de pouvoir déceler des failles dans les mécanismes du cerveau et les importants dérèglements biologiques qu'elles provoquent.

Ces déséquilibres ont de multiples répercussions. Le malade connaît parfois des passages houleux. Certains s'en remettent et d'autres ne voient qu'une seule issue pour mettre fin à leur souffrance: la mort.

L'homme est toujours seul dans sa vie. Il est responsable de lui-même. Personne ne peut le devenir à sa place.

Cet être cher qui vient de disparaître a décidé qu'il voulait quitter sa demeure, en pleine nuit, alors que la tempête faisait rage. Actuellement, vos pensées sont comme des feuilles d'automne. Elles cesseront de tourbillonner lorsque le vent s'apaisera et que la lumière reviendra. Que vos journées redeviennent peu à peu un agréable mélange de couleurs d'espoir, d'amour et de paix.

- Offrez-lui un livre sur le suicide *(consultez la liste que nous vous proposons en annexe)* et ajoutez cette remarque: "Le suicide engendre souvent des sentiments de culpabilité, de regrets et d'impuissance. Les avis des spécialistes et écrivains sont parfois une grande aide pour sortir de cet isolement néfaste".

- Envoyez-lui une palette de peintures et un pinceau. Enlevez si possible les teintes ternes. Il existe des ensembles complets. Inscrivez ce commentaire: "Pour le mélange de vos couleurs".

- Adressez-lui une plante, des fleurs ou des décorations qui sont très colorées et vivantes. Écrivez cette note: "Pour mettre un peu de joie dans votre vie malgré ce triste événement".

À un parent pour le suicide de son enfant

Notre vie est parfois comme un ciel bleu envoûtant. L'horizon est dégagé. Les rêves que nous entretenons se portent bien. Notre entourage nous confère un grand bonheur. Puis soudain, un hoquet imprévu surgit, un soubresaut inattendu défait ce décor. Les couleurs se délavent et l'écran géant qui nous faisait face se transforme en une masse informe où se mélangent le noir et le gris. Un événement nous frappe de plein fouet et notre bienheureuse existence s'écroule comme un château de sable. Elle tombe à l'eau. Point. Un fil ténu se brise emportant avec lui la joie d'antan.

Dans de semblables circonstances, nous nous posons vainement bien des questions. Pourquoi est-ce arrivé? Pourquoi nous? Nous avons le choix de nous asseoir sur la triste nouvelle qui nous surprend et de nous laisser aller au chagrin ou de remonter nos manches pour repêcher les moments heureux que nous avons partagés avec le disparu. N'est-ce pas là une description plus ou moins fidèle de votre situation actuelle?

Vous aussi avez senti la rupture de ce tendre lien. N'oubliez pas que la sérénité s'acquiert lorsque nous acceptons les choses. Nous ne cherchons plus à nous révolter lorsque nous sommes en paix. Cultivez cette quiétude, pour vous, pour ce jeune enfant qui vous était si cher et pour cette affection qui vous rapprochait tant tous/toutes les deux. Que vos coeurs se parlent d'amour lorsque vos pensées se rencontrent.

- Joignez à cette lettre un livre sur le suicide ou le deuil. Vous pouvez consulter la liste que nous vous proposons en annexe ou demander conseil à votre libraire.

- Choisissez-lui une belle boîte avec un visage d'ange ou d'enfant si possible et ajoutez ceci: "Voici un coffret d'amour pour conserver vos moments heureux avec *(le prénom de son enfant qui s'est suicidé).* Assurez-vous de n'y mettre que vos souvenirs de qualité".

- Envoyez-lui un rouleau de collant adhésif et inscrivez cette remarque: "Quelque chose de fragile s'est récemment brisé. Mais ne le laissez pas ainsi. Récupérez les morceaux et redonnez-leur un autre visage à l'intérieur de vous".

Pour une personne qui vient de perdre son animal domestique

L'amitié est un lien extraordinaire, si fort parfois qu'elle pourrait déplacer des montagnes. L'ami est cet autre qui nous aime inconditionnellement, qui ne nous juge pas et qui nous accueille toujours avec des élans de joie et de tendresse. Il nous accompagne pour traverser les différentes épreuves semées sur notre chemin mais également pour partager les doux moments qui s'offrent à nous. Une complicité se crée automatiquement et naturellement, sans chercher à la provoquer. Elle nous rapproche encore plus de lui. Nous serions prêts à tout pour voler à son secours si par hasard il était victime d'un problème quelconque. Normal. Il serait le premier à faire la même chose. Existe-t-il des secrets pour lui? Pas vraiment ou si peu que ce n'est même pas la peine de les mentionner. Nous recherchons sa présence car elle nous comble intensément et le bien-être que nous en retirons est privilégié. Le silence, le rire, la tristesse et les mots sont des langages qui nous appartiennent et que nous sommes les seuls à comprendre.

L'ami... il se trouve très souvent dans le domaine des animaux et le jour où il disparaît est une épreuve terrible. Une partie de nous s'envole dans les airs. Un membre de la famille nous quitte. Son souvenir ne s'effacera jamais car un sentiment aussi fort est éternel. Le chagrin? Oui, il existe et comme pour tous les deuils, il ne faut surtout pas le réprimer. Les émotions sont également une forme d'expression qu'il serait malsain de taire.

Chérissez bien toutes les images qui vous restent de vos bons moments avec *(le prénom de l'animal)*. Il existe en chacun de nous un coin où nous pouvons conserver et protéger nos trésors sentimentaux. Puissiez-vous l'utiliser à souhait.

- Faites-lui parvenir un produit qui protège contre l'érosion et la rouille et ajoutez ce commentaire: "Pour mieux conserver vos trésors sentimentaux".

- Offrez-lui un petit album de photographies qui sera uniquement réservé à contenir les photos de son animal disparu.

- Envoyez-lui une petite broche qui représente l'animal qui vient de mourir. Inscrivez cette remarque: "L'amitié est éternelle".

Pour une personne qui vient de perdre son animal domestique

Le paradis des animaux est très bien organisé. Chaque nouvel arrivant est présenté à tous ceux qui y résident afin de faciliter son intégration. Par la même occasion, il parle de sa/son maître(esse) aux autres résidents. Savez-vous ce qu'a dit votre compagnon récemment disparu? Simple et clair. Voici:

"J'arrive d'un endroit magnifique. La personne avec qui j'habitais était fantastique. J'ai continuellement été choyé(e) comme une reine/un roi. Je sais qu'elle m'aimait affectueusement. Vous ne pouvez pas imaginer toutes les surprises que j'ai reçues. Et les caresses... Ah, que c'était délicieux! Nous nous entendions à merveille. Elle demeurera pour toujours ma meilleure amie. Nous étions des complices de tous les jours. Quelle vie de rêve j'ai eue grâce à elle !"

Je n'invente rien! Je ne fais que rapporter les paroles de *(prénom de l'animal).* Son départ ne peut vous laisser indifférent(e). Le chagrin ou l'abattement est une réaction normale. Vous qui avez tant d'affection à donner, pourquoi ne pas vous trouver un autre colocataire? Certes, ce ne sera pas comme avant, mais différent. Il faut peu de choses pour s'attacher. Un poil de ceci, une griffe de cela et le tour est joué. Peut-être que quelque part un doux animal esseulé attend tout cet amour que vous avez à partager. Ni vous ni lui ne doit en être privé!

N.B. Attendez au moins deux mois après la perte de l'animal de votre correspondant(e) avant de lui envoyer cette lettre. Le fait que vous lui suggériez trop tôt d'adopter un autre animal pourrait être interprété comme de l'incompréhension de votre part.

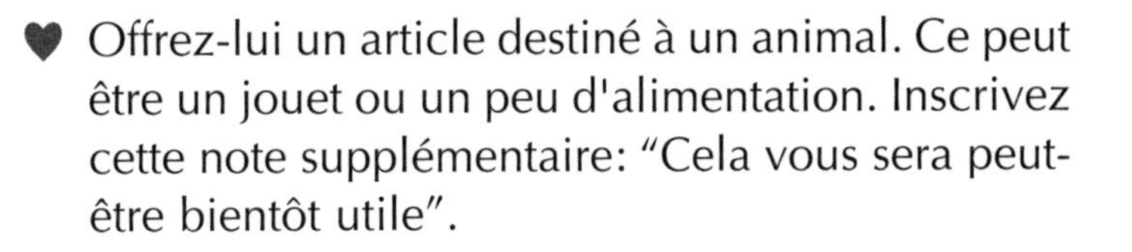

- Offrez-lui un article destiné à un animal. Ce peut être un jouet ou un peu d'alimentation. Inscrivez cette note supplémentaire: "Cela vous sera peut-être bientôt utile".

- Accompagnez cette lettre d'un livre sur les animaux domestiques en général.

- Envoyez-lui des petites annonces d'animaux à adopter que vous trouverez dans un journal. Ajoutez cette remarque: "Votre nouveau compagnon ne se trouve peut-être pas dans cette liste mais il existe quelque part".

Pour une personne qui vit une situation difficile

Si j'étais un oiseau des îles, je me poserais sur le rebord de votre fenêtre pour vous chanter tous les airs de là-bas. Je ferais mon possible pour qu'ils vous enchantent jusqu'à ce que votre sourire m'invite à entrer.

Si j'étais un navire, je lèverais mes voiles en passant devant chez vous et je vous emmènerais sur mon pont pour vous conduire sous la voûte étoilée de votre horizon.

Si j'étais un foulard, je voudrais être en soie. Je danserais devant vos yeux pour qu'ils soient baignés de douceur. Je ne cesserais mes pas de deux et mes entrechats que lorsque vous auriez enfin trouvé un peu de réconfort.

Pour le moment, je me contente de vous écrire ces quelques lignes pour vous rappeler que vous n'êtes pas seule et que vous pouvez compter sur certaines personnes. Le goût des moments difficiles devient parfois moins amer lorsque ceux-ci sont partagés.

- Offrez-lui un foulard ou un oiseau *(en porcelaine ou autre)* et ajoutez ceci: "Pour vous rappeler que vous m'êtes très chère/cher".

- Adressez-lui une boîte que vous aurez achetée ou fabriquée et notez ce commentaire: "Voici la boîte pour les déceptions. Jetez-y tous les déboires qui vous empoisonnent l'existence et refermez bien le couvercle. Un peu de répit ne vous sera que bénéfique!"

- Achetez-lui le disque compact de Barry White "The icon is love" et écrivez ceci: "La voix la plus sensuelle au monde. Bonne compagnie pour ceux qui ont les bleus au coeur!"

Pour une personne qui vit une situation difficile

Certaines personnes collectionnent des objets en cuivre. Cependant, il perdent parfois de leur éclat faute d'être astiqués. Les pauvres ont la mine si triste qu'ils ressemblent à des boulets de charbon. Tout s'arrange avec un bon coup de décapant et un chiffon très doux. Ils retrouvent alors éclat et vigueur en un tournemain.

Il me semble que vous aussi avez délaissé certaines de vos richesses ces derniers temps: vos succès, réussites et talents innés. Il n'est jamais trop tard pour les épousseter et pour leur rendre leur beauté naturelle. Visitez-les et nourrissez-vous en. Ils demeurent ardeur lorsque la lassitude pèse sur vos épaules. Ne les laissez surtout pas dans cette obscurité en agissant comme s'ils n'avaient jamais existé. Votre parcours est jalonné de grandes enjambées que vous avez accomplies grâce à votre profond désir de cueillir les fruits de vos efforts et à la force de vos désirs et projets.

Je vous dis bravo pour tous ces séismes que vous avez traversés dans le passé et pour ces vagues que vous dominerez bientôt. Vous avez toujours su trouver le bon navire pour revenir à terre. Continuez à tenir solidement la barre.

♥ Achetez-lui une longue vue miniature en plastique et notez ceci: "Pour vous aider à repérer vos projets".

♥ Offrez-lui un parapluie grandeur réelle ou un de ceux qui sont utilisés pour décorer les gâteaux et ajoutez cette remarque: "Pour éviter que vous ne soyez trop mouillé(e) dans votre coeur".

♥ Adressez-lui un objet décoratif en cuivre. Il en existe pour tous les budgets. Assurez-vous qu'il soit bien propre et ajoutez cette remarque: "Aussi éclatant que vous!"

Pour une personne qui vit une situation difficile

Tous les ans, les conseils de protection contre le soleil redoublent à l'approche de l'été et de ses beaux jours. Toutes les bonnes marques de cosmétiques ont leurs produits solaires dans les rayons pharmaceutiques. Plus l'indice est important et plus nous minimisons les risques d'abîmer notre peau.

Je viens moi aussi de mettre au point une nouvelle gamme de soins pour se protéger contre n'importe quelle agression extérieure. Mes découvertes sont simples et spectaculaires. Dans votre cas, il est indispensable que vous jetiez à la poubelle tout ce qui vous est néfaste et qui menace votre équilibre. Diminuez le temps d'exposition aux mauvaises idées, aux opinions qui vous dévalorisent, à la mésestime et à la culpabilité. Ensuite, matin et soir il faut vous appliquer à vous répéter vos qualités et à visualiser vos succès déjà remportés. N'hésitez pas non plus à vous offrir une petite gâterie, faire un peu d'exercice, prendre un bon repas ou écouter une de vos musiques préférées. Tous ces dépôts que vous accomplirez dans votre compte d'énergie seront extrêmement bénéfiques. Ce ne sera peut-être pas facile de vous défaire de vos anciennes habitudes, mais les efforts en valent la peine. Dernière recommandation: si certaines étapes soulèvent des commentaires ou des questions, n'hésitez pas à frapper à des portes afin de glaner des réponses.

Même si en ce moment vous êtes seul(e) avec vous-même, sachez qu'une foule de belles et douces pensées affectueuses se pressent autour de vous.

- Joignez-lui un flacon d'un produit de beauté sur lequel vous aurez inscrit cette indication: "Protection contre les agressions extérieures. Pour toutes les épreuves".

- Mettez dans un sac provenant d'une pharmacie des papiers sur lesquels vous aurez eu soin de recopier les conseils mentionnés dans la lettre. Ajoutez cette indication: "Livraison spéciale pour prescription sur mesure".

- Offrez-lui une cassette ou un disque compact et spécifiez qu'elle/il est destiné(e) à alimenter son compte d'énergie.

Les acteurs de théâtre connaissent très certainement toute une gamme d'émotions. Chaque nouveau rôle qui leur est proposé est un défi de taille. Les répétitions de la pièce qui leur est soumise se suivent jusqu'à ce que les résultats se rapprochent le plus possible de ce qui leur est demandé. Je suppose qu'après des heures et des journées de répétitions, de fatigue et d'efforts fournis, ils auraient parfois envie de renoncer et de s'orienter vers une autre voie. Pourtant, ils poursuivent avec la conviction que la prochaine fois sera la bonne et qu'avec l'entraînement, ils se rapprochent de plus en plus de l'objectif visé.

Vous aussi avez eu bien des rôles à apprendre durant toute votre existence et même des textes à composer entièrement. Cependant, en vous remémorant ces étapes, ne remarquez-vous pas que vous êtes parvenu(e) à tout accomplir de votre propre chef? Vous trouverez encore cette fois-ci la force nécessaire pour surmonter cette nouvelle étape de votre vie et ainsi obtenir un autre trophée pour l'accrocher à votre tableau personnel.

Un, deux, trois. Que le rideau se lève!

- Trouvez la photographie d'un acteur ou actrice et notez ceci: "Cet acteur ou cette actrice affirme que les répétitions ne sont pas fatigantes. Ce ne sont que le renoncement et le découragement qui sont exténuants".

- Mettez votre lettre dans une boîte de "Boost" ou de "suppléments alimentaires" et écrivez ce commentaire: "Voici de bonnes vitamines pour le coeur".

- Envoyez-lui un crochet décoratif et ajoutez cette réflexion: "Pour accrocher votre prochain trophée".

Pour une personne qui aurait besoin d'encouragements

Avant que vous ne continuiez cette lecture, je vous conseille de vous assurer qu'il n'y ait pas de courants d'air. Sinon que deviendraient les lignes suivantes si un souffle indésiré les éparpillait? D'autant plus qu'elles sont de la plus haute importance. Elles sont là pour vous. Rien que pour vous. Pour vous féliciter de tout ce que vous avez déjà accompli. Vous êtes un véritable architecte. Ce ne fut pas toujours évident de conduire à terme tous vos projets.

Néanmoins, votre grand courage et votre désir de réussir leur ont donné vie. Les plans ambitieux que vous aviez dessinés se sont concrétisés. Votre volonté et votre foi en vos talents vous ont soutenu(e) et protégé(é) contre le découragement. De plus, vous vous êtes entouré(e) de bonnes personnes, qualifiées et humaines. Votre parcours est réellement très impressionnant.

Et aujourd'hui, vous doutez? Pourtant, lorsque vous ne mettez que des victoires ensemble, vous ne pouvez qu'obtenir des victoires. Des ingrédients sains, additionnés ensemble, ne peuvent que composer un plat final bon et nutritif! Voilà le futur résultat qui vous attend.

- Remettez à cette personne un "ingrédient sain" qu'elle a mis dans votre vie. Vous pouvez joindre la copie d'un cadeau qu'elle vous a déjà offert ou une photographie souvenir de bons moments que vous avez vécus ensemble.

- Remémorez-lui une de ses victoires *(l'obtention d'un diplôme, une réussite quelconque, un projet mené à terme...)* et ajoutez cette note: "J'espère que ce souvenir vous rappellera qu'il vous est interdit de douter de la quantité considérable d'éléments sains et forts que vous possédez".

- Adressez-lui un ou plusieurs éléments parmi la liste suivante: un ou des crayon(s) à pointe fine, des feuilles à dessin, une gomme à effacer, une règle... Notez cette remarque: "Pour mieux poursuivre votre travail d'architecte".

Réconfort d'un parent à son enfant

Mes doigts s'impatientent sur le papier. Ils sont comme moi, ils ont hâte de te retrouver pour te saluer.

Il est très tôt et je ne parviens plus à dormir. Je regarde le ciel qui se dégage petit à petit. Quel merveilleux spectacle! Mes pensées te rejoignent soudainement. J'ai une confidence à te faire. Il m'arrive souvent de revivre toutes les années de richesse que nous avons eues ensemble. Elles m'emplissent de joie et de tendresse. Je ne pourrais pas m'en passer. C'est ma drogue. Mais rien de bien méchant comme tu peux le constater.

Lorsque tu étais plus jeune, je te regardais grandir tranquillement et je désirais plus que tout au monde que cela continue. J'aimais tant te voir rire et te sentir heureux(euse). À présent, sache que je suis toujours aussi sensible à ton bonheur. Bien des printemps sont passés depuis cette époque. Cependant, je demeure toujours ce parent sur qui tu peux compter en n'importe quelles circonstances.

Cette aube qui s'offre à moi est extraordinaire. Belle. Très belle. Comme toi. Elle par sa grandeur, et toi, par ton courage.

- Retrouvez un objet qui puisse représenter une activité, un sport ou un jeu qui vous réunissait et ajoutez une phrase humoristique. Il pourrait s'agir d'un ballon de football accompagné de cette note: "En souvenir de toutes les courbatures que je me suis infligé(e) pour avoir voulu être un joueur à la hauteur.

- Faites-lui parvenir une pièce de monnaie étrangère ou un timbre. Vous ajouterez cette phrase: Pour poursuivre ta collection débutée il y a *(______)* d'années.

- Adressez-lui une clochette ou une sonnette d'entrée et inscrirez ceci: "N'oublie pas de sonner lorsque tu auras besoin de moi. Je t'aime".

- Envoyez-lui une petite douceur qu'elle/il adorait étant enfant. Ce peut être de la réglisse, de la guimauve, des bonbons acidulés ou tout autre sucrerie qui réveillera un bon réseau de souvenirs heureux. Écrivez cette remarque: "Rien n'a changé dans le fond. Tu aimes toujours autant *(nommez ce que vous lui offrez)* et moi je continue à t'adorer comme au premier jour".

Je voudrais que le vent souffle plus fort. Il se lèverait soudainement pour cueillir des nuées de douceur pour ensuite les semer sur les chemins de ceux qui me sont chers. Il deviendrait même le messager personnel de mes pensées que je confie à ce courrier. Je ne l'ai pas encore achevé et je voudrais déjà qu'il frissonne sous tes doigts.

Chaque courant d'air transporterait mes ondes de tendresse pour qu'elles t'entourent dans cette épreuve qui t'affecte en ce moment. Elles t'accompagneraient partout, tout en demeurant discrètes, pour te rappeler que tu n'es pas seul(e) et que tu peux compter sur moi quoi qu'il arrive. Malgré toutes les années qui t'ont porté(e) vers un autre âge, je demeure très sensible à ton bonheur et à ce qui parfois l'entache.

Il n'y aura pas de bourrasques aujourd'hui. Seulement des brises d'amour, de mon amour pour te dessiner des arcs-en-ciel sur les paysages de tes espoirs. Que mes mains gravent encore et toujours des filets de lumière sur ton chemin.

- Offrez-lui une cassette sur laquelle nous n'entendons que le chant des oiseaux et des sons de la nature.

- Préparez-lui un plat que vous aurez cuisiné vous-même et accompagnez-le de cette remarque: “Rien de tel qu'un plat cuisiné par sa maman/papa pour réchauffer le coeur”.

- Écrivez votre lettre sur un papier étroit *(mais aussi long que nécessaire)* pour qu'elle/il puisse le plier et toujours le conserver à portée de main. Le portefeuille est l'endroit idéal.

Réconfort pour une personne agée

Les intempéries reflètent bien les attitudes et comportements humains. Tout apparaît extraordinaire lorsque le soleil est au beau fixe. Ce qui serait sensé nous affecter est anodin et surmontable. Par contre, les menaces de pluie et de bourrasques nous privent d'entrain, de dynamisme et d'humour. Les couleurs de nos paysages perdent leurs teintes et leurs nuances. Elles se confondent presque au gris du ciel. Tout devient pénible. C'est à ce moment privilégié que de mauvaises pensées percent une entrée et s'y faufilent. Elles viennent en troupeaux et cherchent à agrandir leur territoire. Résultat: nous sommes pris dans une tourmente. Un véritable cercle vicieux. Elles profitent de notre vulnérabilité pour nous provoquer en duel. Nous tentons de relever le défi. Vainement. Nous nous faisons aplatir comme de la galette de sarrasin. Et ainsi se soulèvent les idées les plus sombres et négatives. Les premiers soins de secours recommandés, sont de ne rien faire et surtout de mettre sa matière grise au repos.

Je suppose que vous rencontrez plus souvent les journées de tempête que de clarté. Normal. La solitude vous pèse et elle en profite pour essayer de vous mettre K.O. sur le tapis. Cet amas sombre n'a aucun pouvoir sur votre vie. À moins que vous ne l'y encouragiez. Dans ces moments-là, accrochez-vous à tout ce que vous avez fait auparavant, à tous les gens que vous avez aimés et qui vous l'ont rendu. Croyez-moi, il en existe encore beaucoup.

Vous êtes et demeurez très important pour nous. Nous continuerons à nous réfugier auprès de votre humour, de votre sagesse, de vos conseils et de votre accueil afin de ne plus nous laisser emporter par les vagues trop rapides. Nous aurons nous aussi à traverser les âges et nous souhaiterions que vous soyez notre modèle et notre inspiration. Merci de devenir cette lumière dominantes pour nous stimuler, pour nous encourager et pour nous féliciter.

- Trouvez l'image de deux boxeurs sur un ring où l'un est allongé - le perdant. Mettez le portrait de celui à qui vous adresser cette lettre à la place du visage du gagnant. Et inscrivez sur le joueur qui est à terre, 'solitude'.

- Choisissez un fruit qui fasse penser au soleil *(pêche, fraise, framboise, brugnon...)* soit naturel, en photographie ou en plastique et joignez cette note: "Quelques vitamines d'ensoleillement pour vous souligner que la clarté est à vos côtés".

- Adressez-lui une mallette des premiers soins de secours déjà préparée ou composée selon votre imagination (pansements, bandages, coton, alcool à 70°...) et ajoutez cette remarque: "Indispensable pour soigner les petits maux de tous les jours!"

Épilogue

Le voyage au pays des mots s'achève. Nous espérons que ce tour du monde en 125 lettres fut plaisant, que vous en ayez lues juste une ou plusieurs.

Ce recueil démontre qu'il y a tellement d'amour à offrir, à cultiver, à semer, à cueillir que personne ne devrait fermer les yeux sur cette grande richesse. Nous sommes tous des chercheurs d'or en quête de filons inépuisables. Des filons d'amitié, de tendresse et de douceur. Le secret pour s'enrichir est simple: donner. En effet, plus nous donnons et plus nous recevons. Cette loi universelle n'oublie personne.

Nous souhaitons de tout coeur que vos doigts et vos yeux useront ce livre à force de le feuilleter et de le partager.

Suggestions supplémentaires

Les Cristaux:

Nous avons séléctionné une grande variété de cristaux connus et appréciés. Nous nous sommes efforcés de retrouver leurs représentations et leurs symboles.

Agate: courage, vigueur, acceptation des circonstances, apaisement et énergie.

Aigue-marine: perspicacité, expression créatrice, équilibre (tant au niveau physique, émotionnel que mental), méditation, paix, tranquilité, amour.

Ambre: apaisement, harmonie, altruisme, intelligence, spiritualité.

Améthyste: méditation, calme, protection, guérison, amour divin, inspiration, intuition.

Argent: diminution du stress, équilibre des émotions et des énergies.

Citrine: respect de soi, abondance, gaieté, contentement, espoir, cordialité.

Cuivre: équilibre des énergies, respect de soi.

Diamant: énergie, guérison, abondance, innocence, pureté, fidélité.

Émeraude: rêve, méditation, intuition, spiritualité, équilibre émotionnel, prospérité, guérison, patience.

Grenat: purification, renforcement, vitalisation, amour, compassion, imagination.

Hématite: magnétisme, optimisme, détermination, courage.

Jade: équilibre émotionnel, amour, clarté, modestie, courage, justice, sagesse, paix.

Lapis-lazuli: communication, force, vitalité, virilité, clarté d'esprit, illumination, création.

Onyx: apaisement, équilibre, contrôle de soi.

Opale: équilibre émotionnel.

Or: purification, stimulation, l'équilibre.

Rubis: passion intérieure, courage, intégrité, service désintéressé, joie, dévotion spirituelle, pouvoir, direction.

Saphir: clarté, inspiration, création, loyauté, volonté, amour.

Topaz: abondance, équilibre, apaisement, tranquilité, créativité.

Turquoise: méditation, créativité, la tranquilité d'esprit, l'équilibre émotionnel, la communication, l'amitié, la fidélité.

Zircon: l'équilibre émotionnel, le respect de soi et la guérison.

Les pierres et le mois de la naissance:

Janvier ....grenat
Février ....améthyste
Mars................................aigue-marine
Avril ....zirconia cubique
Mai..................................émeraude
Juin ....alexandrite
Juillet..............................rubis
Août................................péridot
Septembre ....saphir
Octobre ....zircon rose
Novembre ....topaze
Décembre........................zircon

Les anniversaires de mariage:

1er ....Papier ou coton
2ème ....Coton ou papier
3ème ....Cuir
4ème ....Soie ou fleurs
5ème ....Bois
6ème ....Fer ou bonbons
7ème ....Cuivre ou laine
8ème ....Bronze ou caoutchouc
9ème ....Poterie
10ème ....Étain
11ème ....Acier
12ème ....Lin
13ème ....Dentelle
14ème ....Ivoire
15ème ....Cristal
16ème ....Porcelaine
25ème ....Argent
30ème ....Perle
35ème ....Corail
40ème ....Rubis
45ème:...........................Saphir
50ème ....Or
55ème ....Émeraude
60ème ....Diamant
75ème ....Diamant

Suggestions de revues:

Rénovation Bricolage

L'Actualité

Santé

Plans de maisons du Québec

Géo

Fleurs-Plantes-Jardins

Sel & Poivre

Sentiers Chasse-Pêche

Décoration Chez-soi

Le Bel Age

Sciences et vie

Suggestions de musiques:

1 - Classique:

José Carreras
My Romance

Maria Callas
Live in Concert

Andrea Bocelli
Romanza

Helmut Lotti
Goes Classic

Sarah Brightman
Time to say goodbye

Luciano Pavarotti
Pavarotti & Friends I et II

André Rieu
From Holland with love

Les choeurs de l'armée Rouge
Chantent les grands classiques

2 - Chants Grégoriens:

Choeurs de moines Bénédictins
de l'Abbaye de St-Benoît-Du-Lac

3 - Instrumental:

Cirque du Soleil (le)
Allegria
Quidam

Richard Clayderman
Holywood's Greatest Hits

André Gagnon
Romantique

3 - Instrumental (suite):

Gipsy Kings
Guitar Music

4 - Nouvel âge:

Yanni
Yanni Live at the Acropolis

Enya
the Celts

Don Gibson's solitudes
The Classic I & II
Celtic Moods

Vangelis
Voices

Suggestions de livres

1 - Croissance personnelle

Dr Bloomfield Harold, Votre talon d'Achille (transformez vos faiblesses en forces) Montréal, Le Jour Éditeur, 1987.

Bradshaw John, Retrouver l'enfant en soi Montréal, Le Jour Éditeur, 1992.

Peale Normand Vincent, Les puissances de la vie positive Montréal, Les Éditions de l'Homme, 1991.

Lacroix Bernard-Paul, Devenir tout Jonathan Hull, Les Éditions Asticou, 1987.

Mooney Bernard, L'épanouissement total Montréal, Québécor, 1991.

Moore Thomas, Le soin de l'âme France, Montréal, Flammarion Ltée, 1994.

Peck Scott, Le chemin le moins fréquenté France, Robert Laffont, 1987.

Robbins Anthony, L'éveil de votre puissance intérieure, Montréal, Le Jour, 1993.

Bach Richard, Ailleurs n'est jamais loin quand on aime..., France, Seghers, 1979.

Bach Richard, Jonathan Livingston le Goéland, France, Flammarion, 1980.

Gouin François & Joyce Évitez le burn-out et trouvez l'équilibre Boucherville, Les Éditions de la Mortagne, 1990

Schwartz David J.,La magie de voir grand, Canada, Les Éditions.un Monde Différent, 1983.

2 - La méditation:

Harpur Tom, Le grand voyage
(Y a-t-il une vie après la mort)
Montréal, Le Jour Éditeur, 1992.

Charest Suzanne, ... et passe la vie
Québec, Les Éditions Anne Siguier, 1987.

Kübler-Ross Elisabeth, La mort est un nouveau soleil, Montréal, Québécor, 1989.

Monbourquette Jean, Aimer, perdre et grandir, Canada, Les Éditions du Richelieu, 1983.

Monbourquette Jean et Denise Lussier-Russell, Mourir en vie, Canada, Novalis, 1992.

Jardin Pascal, Le nain jaune, Paris, Julliard, 1979.

3 - la maternité - la grossesse

Creenspan Stanley,
Le développement affectif de l'enfant
France, Payot, 1980.

Della-Courtiade Claude, Élever un enfant handicapé, France, E.S.F., 1980.

4 - problèmes de poids

Dr Erdman Cheri K., Ronde et épanouie
Montréal, Les Éditions de l'Homme, 1995.

5 - Le stress

Boivin Richard, Vivre relaxe dans un monde stressé, Canada, Éditions Face-à-Face, 1996.

6 - les adolescents

Bélanger Robert, Parents d'adolescent
Canada, Collection: éducation à la vie familiale, 1981.

7 - nos aînés

Hétu Jean-Luc Hétu, Psychologie du vieillissement, Canada, Éditions du Méridien, 1988.

8 - la solitude

Bureau Jules, Vivement la solitude,
Canada, Les Éditions du Méridien, 1992.

9 - être célibataire

Peiffer Vera, Célibataire et Heureux,
Montréal, Le jour, 1994.

10 - diverses maladie

Bonnet Céline, De mon amour à vos silences,
Canada, Le Marginal, 1996.

11 - Les animaux

Avérous Pierre, Les animaux familiers,
Paris, les Éditions des Deux Coqs dOor, 1987.

12 - Rechercher un emploi

Payet Gilles, Gardez un moral d'acier pendant la recherche d'emploi, Paris, Presses du management, 1994.

13 - Un handicap

Shenkman John, Vivre avec un handicap physique,
Montréal, St Loup, 1991.

Table des matières

Vous pouvez réaliser des *économies considérables* en commandant directement vos livres aux Éditions Académie Impact.

Titre du livre	Commande de 1 à 5	Commande de 6 à 10*	Commande de 11 et plus*
Techniques d'Impact pour intervention en psychothérapie relation d'aide et santé mentale Beaulieu D., Ph.D. ISBN 2-9805292-0-6	25.00 $ l'unité	22.50 $ l'unité	20.00 $ l'unité
Mille feuilles à l'Encre et à la Crème 500 Lettres et Suggestions pour les événements heureux Beaulieu D. et Bonnet C. ISBN 2-985292-1-4	24.95 $ l'unité	22.50 $ l'unité	20.00 $ l'unité
Mille feuilles à l'Encre et à la Crème 500 Lettres et Suggestions pour les événements malheureux Beaulieu D. et Bonnet C. IBSN 2-9805292-2-2	24.95 $ l'unité	22.50 $ l'unité	20.00 $ l'unité

Nos prix comprennent toutes les taxes et les frais d'envoi.
*Ces rabais s'appliquent même si votre commande comporte différents titres parmi les différents choix.
Les prix sont sujets à changements sans préavis.

Envoyez votre commande accompagnée de votre paiement aux:

ÉDITIONS ACADÉMIE IMPACT
C.P. 1038, LAC BEAUPORT,
(QUÉBEC) CANADA G0A 2C0

Téléphone: (418) 841-3790 **Télécopieur:** (418) 841-4491
e.mail: impact@quebectel.com **Sans frais:** 1-888-8GUÉRIR

BON DE COMMANDE

____ livre(s) *"Techniques d'Impact pour interventions en psychothérapie, relation d'aide et santé mentale".*
____ livre(s) *"Mille feuilles à l'Encre et à la Crème" - 500 Lettres et Suggestions pour les événements heureux.*
____ livre(s) *"Mille feuilles à l'Encre et à la Crème" - 500 Lettres et Suggestions pour les événements malheureux.*

Paiement: Total:______________$ ☐ Chèque ☐ Mandat-poste

☐ Visa No. ☐☐☐☐☐☐☐☐☐☐☐☐☐☐☐☐ Expiration ☐☐☐☐

Nom: ______________________ Prénom: ______________________
Adresse: ____
Ville: ______________________ Code postal: ______________________
Tél. rés.: (___) ____________ Tél. bureau: (___) ____________ Télécopieur: (___) ____________